일러스트레이터

토베 얀손

Till Sewe
av Tove -55

폴 그라벳 글
황유진 옮김

일러스트레이터

토베 얀손

시리즈 자문 퀜틴 블레이크
시리즈 편집 클라우디아 제프

일러스트 107컷을 담아

북극곰

앞표지 만화 『정글로 변한 무민 골짜기』 중, 1956
뒤표지 토베 얀손의 모습, 페르 올로브 얀손 사진

속표지 개인 소장 수채 스케치, '서브에게'라고 서명함, 1955
위 무민 캐릭터들과 함께 있는 자화상, 1957
112쪽 『무민의 겨울』 이탈리아 채색판을 위한 삽화, 1961

일러스트레이터

토베 얀손

2022년 9월 3일 초판 1쇄
글 폴 그라벳 ‖ 옮김 황유진
편집 김지선, 최은애, 정은주
디자인 전다은, 양태종 ‖ 마케팅 이향령, 신유정
펴낸이 이순영 ‖ 펴낸곳 북극곰 ‖ 출판등록 2009년 6월 25일

주소 서울시 마포구 독막로 320 B106호 북극곰
전화 02-359-5220 ‖ 팩스 02-359-5221
이메일 bookgoodcome@gmail.com
홈페이지 www.bookgoodcome.com

ISBN 979-11-6588-188-7 04600 | 979-11-90300-81-0 (세트)
값 18,000원

차례

들어가는 말

"당신은 어린 아기부터 노인까지 모든 나이대를 살고 있소. 게다가 영원히 시작점에 있지요. 이미 여러 번 되풀이한 삶의 시작점 말이오."

토베 얀손의 친구이자 연인, 한때 남편이나 다름없던 아토스 비르타넨은 토베가 다양한 모습의 삶을 살고 있음을 이해했다.

토베는 어릴 때부터 부모의 전폭적인 격려를 받으며 자연스레 그림을 그리고 글을 쓰는 창조적 힘을 키웠다. 이후 화가, 일러스트레이터, 만화가, 무대 디자이너, 벽화가가 되었고, 그뿐만 아니라 회고록, 소설, 동화, 희곡 등을 쓰는 작가가 되었다. 이 모든 일을 잘 해내다니 정말 놀라운 능력이 아닐 수 없다.

토베의 이런 능력은 또한 문제가 되었다. 애초부터 전업 화가로 살기로 마음먹었기 때문이다. 토베는 미술대학에서 회화 수업을 듣는 단 두 명의 여학생 중 하나였다. 때로는 화가의 꿈을 실현하는 듯 보였다. 하지만 제2차 세계대전의 발발과 늘 변화하는 미술 시장 내 성차별, 그리고 생계비를 벌어야 할 필요성 때문에 계속 방해를 받았다. 하지만 이는 실패가 아니었다. 토베 얀손의 삶은 대중에게 가장 유명하며 늘 사랑받는 유일무이한 작품 '무민' 시리즈와 다른 근사한 작품들을 선사했다.

스웨덴어 사용자이며 동성애자이자 여성인 토베 얀손은 20세기 핀란드에서 세 가지 소수자 영역에 속해 있었다. 핀란드에서 동성애는 1971년까지 범죄로, 1981년까지 정신질환으로 분류되었다. 토베는 이를 알면서도 여인을 사랑했다. 부모는 낙담하여 이 사실을 입에 올릴 수도 없었다. 다행히 토베 얀손은 스웨덴과 핀란드 문화 양쪽에서 영향을 받았다. 핀란드 여성은 오랫동안 꽤 평등하게 대우받았으며, 전통적인 농업 사회에서 남성과 함께 열심히 일했다. 토베도 오래된 직업 윤리에 따라 일했다. 토베가 태어나기 8년 전인 1906년부터 핀란드 여성은 투표도 하고 공직에 출마할 수 있었다. 1907년에는 핀란드 의회에서 세계 최초로 여성 의원들이 선출되었다. 첫 총선에서 열아홉 명의 여성이 당선되어 의석의 10퍼센트쯤 차지한 것이다.

토베 얀손은 나이와 상관없이 철학적 상상력을 불러일으키는 '무민' 시리즈를 쓰고 그려서 세계적으로 널리 알려졌다. <타임즈 문예 특집(TLS)>에서 한 비평가가 '무민' 시리즈의 마법을 살핀 바 있다. '부차적인 설명이나 양해 없이 작가가 만든 몽환적인 세계의 가능성을 지켜 낸다는 점이 '무민' 시리즈의 매력을 만들어 낸다'[1)]는 내용이었다.

오른쪽
<담배 피우는 여인>, 유화로 그린 자화상, 1940

TOVE·40

왼쪽

무민 책에 등장하는 캐릭터들이 보낸 봄 인사 카드

아래

작은 무민과 함께 있는 자화상

오른쪽

토베 얀손과 어머니 함이 작업실에서 휴식을 취하며 책을 읽는 모습, 페르 올로브 얀손 사진

뒷장

토베 얀손과 남동생 라르스(애칭은 '라세')가 무민 게임을 위해 디자인한 상자 그림. 무민 골짜기에서 조개, 아름다운 돌, 잼 가게 열쇠 등 무민마마의 가방에서 떨어진 물건들을 찾는 구성이다.

토베는 회화, 특히 풍경화, 실내화, 정물화에서 이름을 떨치고 수상도 했다. 나중에는 추상화도 그렸으며, 성인 독자를 대상으로 삽화 없는 산문집을 열다섯 권이나 출간했다. 토베 얀손은 스웨덴어로 작품을 썼지만, 핀란드 작가 중에서 다른 언어로(50개 언어 이상) 가장 많이 번역된 작가이기도 하다.

그녀가 세상을 떠난 후 2020년 8월 9일 돌아온 생일에는 핀란드 정부로부터 국기의 날을 기념하여 훈장을 받았다. 토베는 핀란드에서 이 훈장을 받은 두 번째 여성이 되었다.

토베 얀손은 1945년 삽화가 있는 무민 소설을 조용히 출간한 뒤로, 삽화 소설 일곱 권, 단편 소설집, 그림책 다섯 권, 연재만화 스물두 편을 창작했다. 게다가 희곡 몇 편을 직접 쓰고, 오페라 대본을 위한 배경이나 의상을 디자인했으며, 무민과 관련된 모든 홍보 이미지를 제작했다.

그녀의 예술적 표현 중 일러스트레이션 작업은 일생에 걸쳐 중요한 비중을 차지했다. 일러스트레이션은 다른 작가의 책, 사회 및 정치 만화, 공공 벽화, 광고, 연극, 텔레비전, 오페라를 위한 무대와 의상 디자인 등으로 확대되었다.

어머니 시그네 함마르스텐은 평생 토베의 등대와도 같은 존재였다. 일러스트레이터였던 어머니는 토베에게 그림과 자연에 대한 열정을 불어넣었다. 특히 바다, 거칠수록 더 근사한 바다와 섬을 사랑했다. 핀란드에는 스웨덴을 빼면 그 어느 곳보다 많은 18만 8,000여 개의 섬이 있다. 토

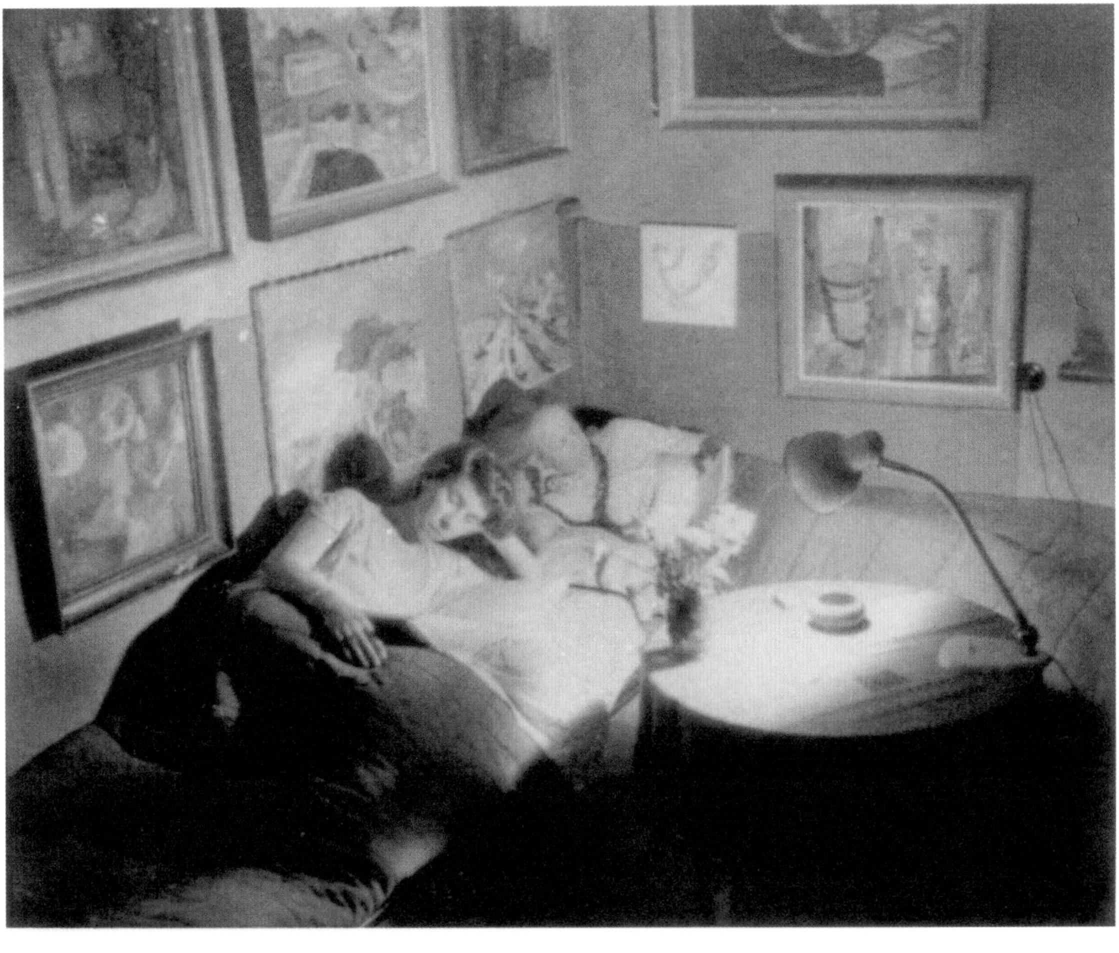

MUMINSPÖ

Tove &
Lasse
ET-MUUMIPELI

베는 어린 시절 펠링게 군도(역주: 스웨덴어로는 펠링게, 핀란드어로는 펠링키라 부른다.)에 자리한 한 섬의 게스트하우스에서 여름날 모험을 즐기면서 거친 자연을 사랑하는 마음이 더욱 커졌다.

이 마음은 성인이 되어서도 점점 커져, 토베는 헬싱키에서 핀란드만 근처로 이사한 후 자신만의 '스투가'를 직접 지었다. 스투가는 특히 7월 국경일 휴가철에 널리 이용하는 현대적이고 실용적인 오두막이다. 처음 옮겨 간 곳은 육지에서 멀리 떨어진 핀란드만의 작은 섬이었다. 이후 더 멀리 떨어진 클로브하룬 섬으로 거처를 옮긴 토베는, 약 18년간 이곳을 자신의 낙원으로 가꾸며 봄부터 가을까지 되도록 오래 머물렀다.

토베는 만년에 설계가, 건축가, 인테리어 디자이너로 살았다. 현실과 상상을 가리지 않고, 그녀를 둘러싼 환경에 의미를 부여하고 디자인하는 일을 했다. 섬 휴양지 오두막과 도시의 높은 작업실 겸 집을 짓는 일부터

아래

'스투가' 혹은 오두막을 짓는 모습, 채색 삽화

위
섬 오두막 앞에 있는 토베 얀손, 페르 올로브 얀손 사진, 1970-1980년대 추정

무민의 집과 목가적인 계곡을 그린 그림, 설명문, 축소 모형을 만드는 일에 이르기까지 오랜 협력자 툴리키 피에틸레와 함께 다양하게 작업했다.

그때까지 핀란드는 딱히 떠올릴 만한 독창적인 황금기 문화가 없었고, 상대적으로 젊은 나라였다. 그 덕분에 핀란드인의 삶은 자유로웠고, 스스로 정체성과 운명을 만들어 갈 수 있었다. 토베 얀손 역시 내내 그렇게 살아갔다.

첫 수업

토베 얀손은 핀란드 헬싱키에서 암울한 시기에 태어났다. 태어난 지 2주도 못 되어, 1914년 제1차 세계대전이 발발했다. 토베는 빅터 얀손(1886-1958)과 시그네 함마르스텐 얀손(1882-1970) 사이에 태어난 세 아이 중 장녀였다. 아버지 빅터는 핀란드-스웨덴 가정에서 태어나 주로 공공 기념물을 만드는 조각가였다. 스웨덴 출신의 어머니 시그네는 그래픽 디자이너와 일러스트레이터로 일하다가 1913년 결혼 이후 핀란드로 옮겨 왔다.

머리카락이 아름다운 아기에게 부모는 '토베'라는 이름을 지어 주었다. '토베'는 아름답다는 뜻을 지닌 노르웨이의 고어이다. 부부의 집은 작업실까지 더해 커졌고, 두 사람은 전업 예술가로 살기 위해 열심히 일했다. 어린 토베는 날마다 모든 것을 창조해 내는 보헤미안 부모의 예술 수업을 온몸으로 흡수했다. 마치 숨쉬기처럼 자연스럽고 당연한 일이었다. 혹은 토베의 말처럼 '그림 그리는 것은 존재하는 것'이었다.

가족사를 살펴보면, 토베 얀손은 걷기도 전에 그림을 먼저 그렸다. 그림과 사랑에 빠진 것이다. 어머니가 책상에서 그림 그리는 사진을 보면, 딸 토베는 어머니의 무릎에 앉아 눈앞에서 생생하게 살아나는 그림을 뚫어지게 쳐다보고 있다. 18개월 무렵 어머니는 토베가 그림 그리는 모습을 그렸다. 토베는 이렇게 회상했다.

"어릴 때 늘 그림을 그렸어요…. 알다시피 애들은 변기에 앉히잖아

왼쪽

어머니 무릎에 앉아 그림을 지켜보는 토베, 1916-1917년 무렵

요…. 내가 조용하고 편안하게 앉게끔 앞에 발판 같은 걸 놔 주었어요. 그러면 나는 그리고, 그리고, 또 그렸지요."

이런 양육 방식 덕에 토베는 부모의 뒤를 따르면서도 독립적인 길을 개척하려는 의지를 갖게 되었다.

어린 시절 어머니가 즉흥적으로 지은 이야기를 듣는 것이 토베의 큰 기쁨이었다. 그녀는 곧 스스로 책을 읽고 이야기를 지어내곤 했다. 전래동화뿐만 아니라 무서운 이야기(고작 아홉 살에 에드거 앨런 포의 작품을 좋아했다.)나 쥘 베른, 아서 코난 도일, 카를로 콜로디, 에드거 라이스 버로우의 모험 이야기를 사랑했다.

스웨덴 책 두 권의 삽화에서 깊은 감명을 받기도 했다. 아서 래컴(역주: 1867-1939, 영국의 동화책 삽화가)의 영향을 받은 욘 바우어의 삽화가 실린 스웨덴 민담 선집 『놈(땅속 요정)과 트롤』은, 가족 모두의 사랑을 받았다. 바우어의 그림을 보면서 토베는 '큰 숲을 그리려면 나무 꼭대기와 하늘까지 그리지 않고, 쭉 뻗은 곧고 굵은 줄기만 그려야 한다'는 걸 배웠다. 토베는 바우어가 그린 트롤, 껑충하고 머리가 길고 코가 큰 거인도 연구했다. 이는 훗날 그녀가 그린 무민트롤의 툭 튀어나온 주둥이의 참고 자료가 되었다.

또한 '스웨덴의 베아트릭스 포터(역주: 1866-1943, 영국의 아동문학가이자 삽화가)'로 불리는 엘사 베스코브(역주: 1874-1953, 스웨덴의 그림책 작가)한테도 큰 영향을 받았다. 토베는 엘사가 '아이들이 자신을 돌아보고 환상을 갖도록 넓은 여백을 주고, 궁극적으로 보는 것뿐 아니라 깊이 생각하고 이해하는 법을 배우도록 우리를 재창조'[2]한 방법에 깊이 감동했다.

일곱 살이 된 토베는 자기가 만든 이야기를 출판하고 싶었다. 그동안 쓰고 그린 단편과 시를 모아 '토베 출판사'라는 이름으로 집에서 만들어 제본한 후 이를 학교 친구들에게 판매도 했다. 1921-1925년 사이에 그녀는 집에서 열네 권의 책을 젤라틴판 복사법으로 한정판 출간했다. 보라색 잉크로 찍힌 부분이 흐릿하게 나오면, 직접 검정 잉크와 다른 색을 칠해 삽화를 또렷하게 만들었다. 『크리스마스 소시지(1928)』, 『죽음(1924)』이나 『선인장 종이』 같은 무서운 이야기 등에서 토베의 솜씨가 확실히 빛났다. 『선인장 종이』의 경우 마지막 3쇄까지 23부를 인쇄했다.

1926년부터 쓴 생생한 일기도 보관되어 있다. 일기장에는 '파판'과 '함'이라는 애정 어린 별명으로 부모님이 등장하고, 아래에 자막이 달린 만화도 함께 그려져 있다. 이때는 여섯 살 터울인 페르 올로브와 열두 살 터울인 라르스, 이렇게 두 남동생이 생긴 터라 기록할 것이 더 많았다.

아버지에게 공공 조각 작업 의뢰는 불규칙하게 들어왔다.(정치적으로 우파인 아버지는 예술 인생 40년 동안 26건의 의뢰를 받았지만, 1924-1927년과 1943-1947년 사이에는 의뢰가 전혀 없었다.) 그래서 대가족을 부양하는 의무는 어머니의 몫이 되었다. 다행히 어머니 함의 수입은 다양한 삽화 작업을 하면서 점점 늘어났다. 1924년 핀란드 은행에서 일하며 지폐를 디자인하고, 1929년에는 핀란드 우체국에서 의뢰한 우표 디자인을 시작해 1962년까지 200장 이상을 만들었다. 두 작업 모두 섬세한 도면 기술이 필요했다. 검은 잉크로 양감을 만들고 평행한 직선을 이용해 음영 처리한 후, 빛을 전달하기 위해 종이에 여백을 남기는 대규모 작업이었다.

어린 딸이자 제자인 토베는 어머니의 작업 과정을 보며 배워 나갔다. 그러면서 다양한 무게와 밀도를 지닌 선을 활용하여, 정확하고 규칙적이기보다는 형식이 없고 자연스러운 패턴과 질감을 표현하는 독특한 그리기 방식을 개발했다.

그녀의 또 다른 위대한 스승은 자연이었다. 나뭇잎의 잎맥, 나무껍질이나 바위의 무늬 같은 토베의 선형 스타일은 자연을 주의 깊게 관찰한 데서 나왔다.

함은 300여 권의 책 표지와 본문 삽화, 풍자적인 스웨덴어 잡지에 실을 재치 넘치는 만화와 캐리커처에 적합하도록 다양한 스타일을 구사했다. 토베는 어머니의 작업과 더불어 가장 좋아하는 스웨덴 만화에서도 많은 것을 배웠다. 페터 린드로스의 「조크, 니케, 마켄」(1921-1933)은 여자아이의 관심을 끌려고 경쟁하는 두 소년을 그린 6컷짜리 주간 만화이다. 훗날 토베는 1946년 첫 무민 만화를 준비할 때 이 만화에서 일부 영향을 받았다고 말했다.

또한 그녀는 오스카 안데르손의 '판토마임'이나 말 없는 만화, 스케치, 『생각나는 대로 하는 사람』의 즉흥적인 듯 보이는 그림 속 터무니없는 유머를 즐기곤 했다. 토베 얀손은 안데르손이 그린 말쑥하고 순응적이지 않은 스웨덴 사람을 두고 이렇게 표현했다.

"약간 가학적이고 생각나는 대로 행동하는 이상한 사람처럼 보였다. 그 덕에 너무 훌륭하거나 친절할 필요가 없었다."

토베의 작업 역시 이런 날카로움을 얻게 된다.

어린 시절의 책 출간

'엄마가 그림 그리는 걸 도와줄 날만 손꼽아 기다린다.'

토베는 1928년 일기에 이렇게 썼다. 토베는 겨우 열세 살의 나이에 주간지 <알라스 크로니카>에 안데르손 스타일의 만화 세 편을 실으며 출판일을 시작하고 돈을 벌었다. '토토'라는 필명으로 발표한 이 만화에는, 핀란드 군사령관이자 차기 대통령인 구스타프 만네르헤임 장군의 행진에 열광하는 모습을 그렸다. 이 행진은 핀란드 내전 승리 10주년을 기념해 5월 16일에 열렸다.

Hej, hurra för Mannerheim.

(En mycket ung dam, som kallar sig Totto har blivit begeistrad av Mannerheims person och insänt följande kväde till vilket hon själv tecknat bilderna.)

**Nyligen kom Mannerheim till H:fors' strand,
Sen han jagat tigar i Indialand.
Jag var så liten att jag såg honom ej alls.
Fast jag stod på tårna och sträckte på min hals.**

**När hans bil genom staden skulle köra,
Man ej sin egen stämma ens kunde höra.
Av människomassan man blev nästan klämd till mos.
Och om några sekunder var bilen sin kos.**

**Den store generalen köpte så ett blomster vitt,
som fästes i medaljers och stjärnors mitt.
Och från Helsingforsares täta mur,
beskådades andäktigt denna procedur.**

아래

만네르헤임 행진, 토베가 처음으로 쓰고 그려서 공식 발표된 작품, 주간지 <알라스 크로니카>, 1928

다음 해 토베의 꿈은 갑작스럽게 현실이 되었다. 어머니 함이 병에 걸린 토베의 외할머니를 간호하려고 스톡홀름으로 떠났다. 어머니가 맡았던 어린이 잡지 <룬켄투스> 10호를 맡은 토베는 두근거리는 마음으로 앞표지 삽화와 뒤표지 만화를 준비했다. '토베'라는 이름을 걸고 그녀는 「성 조지와 용」의 표지 그림과 함께, 단순하게 표현한 두 애벌레 사이 사랑 이야기인 「프리키나와 파비안의 모험」의 첫 에피소드를 제출했다. 그러고는 일기장에 걱정을 털어놓았다.

'이 일에 많은 것이 달렸다. 잘되면 다른 일을 얻을 수 있을까.'

<룬켄투스>는 1929년 8월 30일 발행 잡지에 두 그림을 싣고, 그다음 에피소드 여섯 편을 제작해 달라고 의뢰했다. 이 이야기는 부자연스럽게도 애벌레 한 쌍이 새끼를 낳으며 행복하게 마무리된다. 린드로스에게 영감을 받은 토베는 똑같은 크기의 사각형을 여섯 칸 그린 후, 손글씨로 말풍선 몇 개를 달았다. 하지만 사각형 아래에는 운율을 맞춘 세 줄짜리 시로 본문을 썼다. 비록 짧은 기간이었지만, 이 일 덕분에 토베는 장당 100마르크나 받을 수 있었다.

왼쪽
「프리키나와 파비안의 모험」, 1929

위
<가름> 잡지에 실린 첫 만화,
1929년 11월 21일

뒷장
『사라, 펠레, 넥켄의 문어들』의 앞표지와 본문 그림. 1928년에 그렸으나 학교 친구 '베라 하이'의 이름을 빌려 1933년 출간되었다.

적극적인 열세 살 소녀는 가계를 부양하고자 출간을 꿈꾸었다. 직접 쓰고 그린 시와 그림을 출판사에 보냈지만 거절당했다. 어머니 함이 1923년 러시아 요정 이야기 번안극에 그린 그림에 영감을 받은 토베는, 1928년 5월 다시 출간을 시도했다. 삽화가 담긴 20쪽짜리 동화를 틸만 출판사에 보내고 드디어 출판 계약까지 맺었다. 운율을 맞춘 글 반대편에는, 단순하고 매력적인 선과 환한 색채의 그림이 여덟 장면 실려 있다.

핀란드 군도를 배경으로 한 동화 『사라, 펠레, 넥켄의 문어들』은 현대의 소년 소녀와 개가 인어와 비슷한 북유럽 요정에게 붙잡혀 해저에서 어린 문어를 돌보게 된 이야기이다. 배를 타고 지나가던 어부가 셋을 구해주고, 셋이 가져온 어린 문어를 어머니가 저녁거리로 요리하면서 이야기는 끝을 맺는다.

토베는 쥘 베른의 책을 읽고 문어에 대해 공상하기 시작했으며, 문어는 다음 어린이책에도 등장한다. 그러나 틸만 출판사에서 토베의 책이 나오기까지는 5년이나 걸렸다. 이때 토베는 전업 화가로 진로를 정한 상태였기에, 작가이자 일러스트레이터로 자신의 이름을 쓰는 대신 학교 친구의 이름을 빌리기로 마음먹었다.

<룬켄투스> 이후, 함은 십 대 딸에게 더 많은 가능성을 열어 주었다. 특히 토베를 핀란드의 스웨덴어 풍자 잡지 <가름>에 소개했다. 함은 1923년 창간 이래 <가름>에 만화를 싣고 있었다. 토베는 어머니의 기법 일부를 본떠서 1929년 11월 21일 여성 패션의 변천을 포착한 첫 만화를 게재했다. 과도하게 차려입은 통통한 어머니의 체면치레와, 빼빼 마른 딸의 자유분방한 현대 패션을 대조적으로 보여준 작품이었다.

이후 4년간 토베는 <가름>에 만화 열일곱 편을 더 실었다. 일부는 잡지사에서 제공한 유머를 전달하려고 깔끔하고 간결하게 그렸다. 1933년 이후 토베는 <가름>의 정기 필진이 되었다. 그녀는 자신만의 그림을 궁리하고 연구하며 솜씨가 날로 원숙해졌다.

VERA HAIJ
SARA OCH PELLE
OCH NECKENS BLÄCKFISKAR

학창 시절의 꿈

1930년 토베는 어머니의 허락을 받아 일찍 일반 학교를 떠났다. 그리고 스웨덴에서 가장 큰 예술 학교인 스톡홀름의 기술 학교(콘스트파크)에서 미술과 공예 3년 과정을 수강했다. 어머니 함이 다녔던 학교이다. 특히 직업과 관련된 훈련으로 책 일러스트레이션과 광고 디자인을 중점적으로 공부했다.

열의에 찬 십 대는 일기장에 이렇게 썼다. '이제 나는 삶을 시작할 것이다.' 이런 열망에도 불구하고, 열여섯 살에 처음 집을 떠나 지내는 건 힘든 일이었다. 그곳이 외삼촌 에이나르의 집이라 해도 말이다. 토베는 가족에게 자주 편지를 쓰고, 자신의 경험을 담아 손으로 그린 책자 「귀향」을 보내기도 했다.

그림 수업 첫날을 비꼰 만화도 그렸다. 여학생으로 이루어진 수업에서 토끼풀 잎을 그려야 하는데, 각도기와 자를 쓰는 사람도 있다. 토베로 짐작되는 한 학생은 수업에 영 시큰둥해 보인다. 그렇지만 토베는 집요하게 그림을 그리며 지식과 능력을 넓혀 갔다. 그리고 1931년 일기에 썼듯 '나는 가족을 위해 예술가가 되어야 한다'고 결심한다. 아마 어머니 같은 상업 예술가를 의미한 듯하다.

학업을 이어 가며 토베는 일도 병행하여, 1932년 처음으로 콜로디의 『피노키오의 모험』에 표지 그림을 그렸다. 300크로나라는 '상당한 액수의' 스웨덴 장학금도 받아, 일부는 생활 드로잉 보충 수업을 듣는 데 썼다. 토베가 가장 자신 있는 과목은 장식 회화로, 훗날 여러 벽화 작품에 이 기술을 활용했다. 언제나 성실하고 현실적인 토베는, 졸업이 가까워진 1933년 가족에게 편지를 썼다.

'나 때문에 부모님께 불필요한 경제적 부담을 지우는 일은 이제 싫어요.'

하지만 토베는 스웨덴 스톡홀름에서 다른 목표를 세우고 열정을 키웠다. 그녀는 전업 화가가 되고 싶었다. 핀란드 헬싱키로 돌아간 토베는, 아버지가 조각을 배웠던 미술대학에서 1933년부터 1936년까지 회화를 전공했다. 일부 교사들의 보수주의에 토베와 다른 학생들이 항의했고, 토베는 학교를 잠시 그만두었다가 다시 돌아와 졸업했다. 보다 진보적인 다른 교사들은 토베를 북돋아 주었다. 토베는 삼 반니에게 따로 교습을 받았다. 삼 반니는 토베의 스승이자 연인이며, 훗날 추상화의 대가가 된다.

제2차 세계대전의 기운이 엄습해도 토베의 미래는 여전히 밝아 보였

다. 전시회, 수상, 연구 보조금, 파리와 이탈리아 여행, 작업 공간, 작품 판매 등이 이어졌다. 하지만 토베는 아버지의 고군분투를 지켜보며, 미술만으로 생계를 꾸리기가 무척 어렵다는 걸 알고 있었다. 토베의 초상화와 풍경화가 얼마나 뛰어난가와 별개로 작품을 인정하고 옹호해 줄 비평가와 화랑 대표가 필요했다.

문제는 토베의 회화 작품이, 그녀의 시각 디자인 감각이 드러나는 드로잉 스타일과 상호 작용한다는 점이었다. 얀손가를 그린 <가족(1942)>을 두고 반니는 너무 '그래픽' 같다고 날카롭게 비판했다. 바로 한 해 전에 어떤 비평가가 토베의 그림을 '일러스트스럽다.'라고 평한 것 역시 칭찬과는 거리가 멀었다. 1943년 개인전은 메시지와 주제와 서사가 너무 많다는 평가를 받았다.

이런 예술계의 규범에 순응하는 것이 수용이라면, 토베는 '회화는 순전히 회화적이어야 하고, 회화 세계에서 그래픽 아트의 서사적 특성은 절대 추구하지 않아야 한다'[3]고 결심했다. 그러나 이토록 다재다능한 사람이 자신의 창의성을 딱 잘라 구분하는 일은 결코 쉽지 않았다.

위
스톡홀름 미술 학교 첫 드로잉 수업을 그린 만화, 가족에게 보낸 책자 「귀향」 중, 1930

토베의 그래픽 감각이 회화에 영향을 미친다면, 반대로 일러스트레이션에 회화적 요소를 불어넣는 작업도 가능했다. 헬싱키에서 미술대학을 다닐 때, 토베는 <가름>에 만화를 그렸다. 때로는 학업과 미래에 대한 복잡한 감정이 만화에 드러났다.

1935년 9월에 실린 천진난만하게 보이는 만화에서, 토베는 교사들이 칭송하는 '애국적' 북유럽 화가들을 비웃는다. 화가는 사슴과 엄마와 아이가 있는 신록의 풍경을 무시하고, 낡아빠진 오두막과 전나무 세 그루를 빼고는 아무것도 없는 황량한 장면을 선호한다.

졸업을 몇 달 앞둔 1936년 3월, 토베는 앞으로의 길을 두고 깊은 불안을 표현했다. 토베의 어린 모습과 닮은 너덜너덜한 맨발의 아이가, 화가인 아버지에게 "예술이 무엇인가요?"라고 묻는다. 아버지는 "바보 같은 질문이구나. 예술은 네가 할 수 없는 모든 것이란다. 네가 할 수 있다면 그건 더 이상 예술이 아니지."라고 말한다. 아버지의 작업실은 텅 비고 창문은 금이 갔으며, 이젤에는 미납 고지서가 올려져 있다. 캔버스에는 여성 누드 그림이 있고, 모델은 난로 옆에서 몸을 덥히려 안간힘을 쓰고 있다.

1943년 잡지 <헤포카티>에는 묘사가 많은 만화가 한 장을 가득 채웠다. 구매자로 붐비는 커다란 작업실에, 성공한 예술가(이번에도 남성이다.)가 캔버스 두 장을 한 번에 그리고 있는 반면, 그의 아내(토베와 닮았다.)는 넷째 아이를 안은 채 손님들을 맞이한다. 돈에 대한 불안이 늘 있었기 때문에, 토베는 원하던 대로 전업 화가가 되지는 않았다. 무민이 인기를 얻었을 때도 마찬가지였다.

위

<헤포카티>에 실린 만화, 핀란드 일러스트레이터 연합 잡지, 1943

일러스트레이션 작업

다행히 토베는 다양한 훈련을 받은 데다 창의적이며 다재다능했기 때문에 화가로서의 수입에만 의존할 필요가 없었다. 계속 부모님 집에 살면서 프리랜서 수입으로 비용을 충당하고 작업실을 빌렸다.

1935년 토베는 <가름>의 인상적인 표지 100점 중 첫 작품을 그렸다. 한 가지 색만 추가해, 표지의 선명한 펜과 잉크 선이 더욱 돋보이게 했다. <가름>에는 토베의 만화 500편과 수많은 삽화가 실렸고, 잡지사는 창업자가 죽은 후 1953년 폐간될 때까지 토베의 주된 고객이었다. 꾸준히 발행된 이 시대의 비판적 매체 덕분에 토베는 캐리커처와 논평 기술을 연마했고, 좌파적 신념에 눈을 떠서 전쟁, 파시즘, 공산주의에 반대했다.

토베가 그린 표지는 때로는 논쟁과 검열을 불러왔다. "내가 히틀러와 스탈린에게 야수처럼 굴어도 된다는 사실이 무엇보다 좋았어요."라고 토베는 훗날 회상했다. 이토록 솔직한 '여성 정치 만화가'의 존재는 당시 보기 드문 일이었으며, 1941년 토베는 북유럽 지역에서 가장 유머러스한 작가로 선정되었다.

토베는 자기 자신을 '인디언 먹물 기계'라고 표현했다. 그녀의 작품은 어지러울 정도로 다양한 스타일, 주제, 매체를 구사했다. 다수의 출판사와 일을 진행하여, <율른>에는 전쟁 기간 표지를 그리고(1928-1944), <루시퍼>에도 연재했다.(1933-1953) 1934년부터는 잡지에 실으려고 여행한 경험을 바탕으로 단편 소설과 기고문을 쓰고 그렸다.

이 시절 토베는 어른 책에도 처음 일러스트를 그렸는데, 그녀가 무척 좋아하는 항해를 다룬 책 두 권이었다. 1936년 작가 아틀레 웰란데르가 열네 살 때 떠났던 바다 여행에서 영감을 받아 쓴 단편 「거대한 파도」에 표지 그림을 그렸다. 1937년 열정적인 선원이던 외삼촌 해럴드 함마르스텐이 자신의 책에 실을 삽화 다섯 점을 토베에게 의뢰했다. 토베는 폭풍우에 휩싸인 배와 젊은 선원의 고군분투를 표현하려고 바다 풍경에 역동적인 파도 그림을 실험해 보았다.

토베의 다음 작업 『나』(1937)는 엘라 피핑이 아기의 성장을 기록하려는 부모를 위해 만든 책이다. 토베는 어머니와 함께 빨강, 노랑, 파랑 팔레트로 작고 단순한 삽화를 디자인했다. 1938년에는 디자이너 카를로 카리의 소책자 『어떻게 집을 장식할까?』에 실린 우아한 표지와 삽화 여덟 점을 그렸다. 그중에는 벽에 걸어 둘 만큼 눈부시게 화려한 그림도 있었다.

1939년에는 친구 베이코 니리키 타피오바라가 타투 페카리넨의 연극

오른쪽
<가름>을 위한 대담한 표지, 전통적인 케이크 모양으로 이 세계를 묘사하고, 많은 선물을 바쳐도 소용없는 버릇없는 아이로 히틀러를 표현했다. 1938년 가을

뒷장, 왼쪽
<보 티드> 잡지 창간호 표지, 무민의 초기 형태를 볼 수 있다. 1945

GARM
HOLLÄNDSK KOLONIER
BELGIEN
MEMEL
ENGELSKA KOLO
MER KAKA !!!
SÖNDER JYLLAND
SCHWEIZ
POLSKA KORRIDOREN
HÖST-NR.
5 MK 75 öre
ELSASS LOTHRINGEN
DANZIG
JUGOSLAVIEN
RUMÄNIEN
Tove

오른쪽
<가름>에 실린 초기 만화 두 점, 핀란드를 대표하는 북유럽 만화 중 최고의 작품으로 선정되어 다시 그리고 채색함. <포켓 이 빌드>의 크리스마스 특별호, 1941

자막의 내용은 이렇다.

(위) "'엄마'라고 부르는 인형은 없나요?" "아니, 꼬마야. 이 새 인형은 '히틀러 만세!' 라고 한단다!"

(아래) 크리스마스에 대하여
"물건은 하얀 종이로 싼 후 빨간 줄로 묶었다. 그 위에 주소 쓰는 것을 깜빡 잊었다…."

FINLAND

— Har ni inte nån docka som säjer "mamma"?
— Nej, lilla vän, vårt nya lager säger Heil Hitler!

APROPÅ JULEN

— Det var insvept i vitt papper med rött snöre...
jag glömde sätta adress på det...

Originalteckningar för Folket i Bild
av TOVE JANSSON

을 각색해 영화로 만들었는데, 토베는 캉캉 무희 세 명이 등장하는 영화 포스터를 디자인해 주었다. 미국의 만화가 조지 맥마누스가 아르데코 스타일로 그린 신문 연재만화 「아버지를 키우다」의 스타일을 본떠서 포스터를 완성했다.

전쟁 때문에 소설에 대한 수요가 지속되면서 토베에게 계속 의뢰가 들어왔다. 토베는 브리타 하이오르트의 우화 『릴-올레와 하팔텐』에, 쪽마다 틀 없는 이미지 세 개씩으로 이루어진 여섯 쪽 분량의 그림을 그렸다. 우쭐한 토끼가 벌 받는 이야기를 담은 이 책에는, 펜과 잉크로 그리고 곳곳에 빨간색과 노란색으로 칠한 유쾌한 동물 출연진이 등장한다.

솔비히 폰 슐츠가 스웨덴으로 피신시킨 딸들에게 썼던 편지를 새롭게 쓴 『테디의 여행』(1944)은, 테디 베어의 '엄마'인 두 소녀가 핀란드에서 스웨덴으로 피난을 가는 이야기로 <토이 스토리>와 비슷한 유형이다. 토베는 섬세한 선 그림을 통해 소녀들의 슬픔, 두려움, 마침내 마주한 재회의 기쁨에 깊이 공감하며 감정을 전달했다. 또한 쇠데스트룀 출판사의 성인 도서 표지도 틈틈이 그렸다.

진보적인 유대계 헝가리 작가 일레스 카체르가 1936년 쓴 소설 『블

위
<카크시 비토리아>를 위해 디자인하고 그린 영화 포스터. 조지 맥마누스의 신문 연재만화 「아버지를 키우다」에서 영향받았다.

오른쪽
『테디의 여행』 표지 그림, 1944

SOLVEIG VON SCHOULTZ
Till Sverige
NALLERESAN

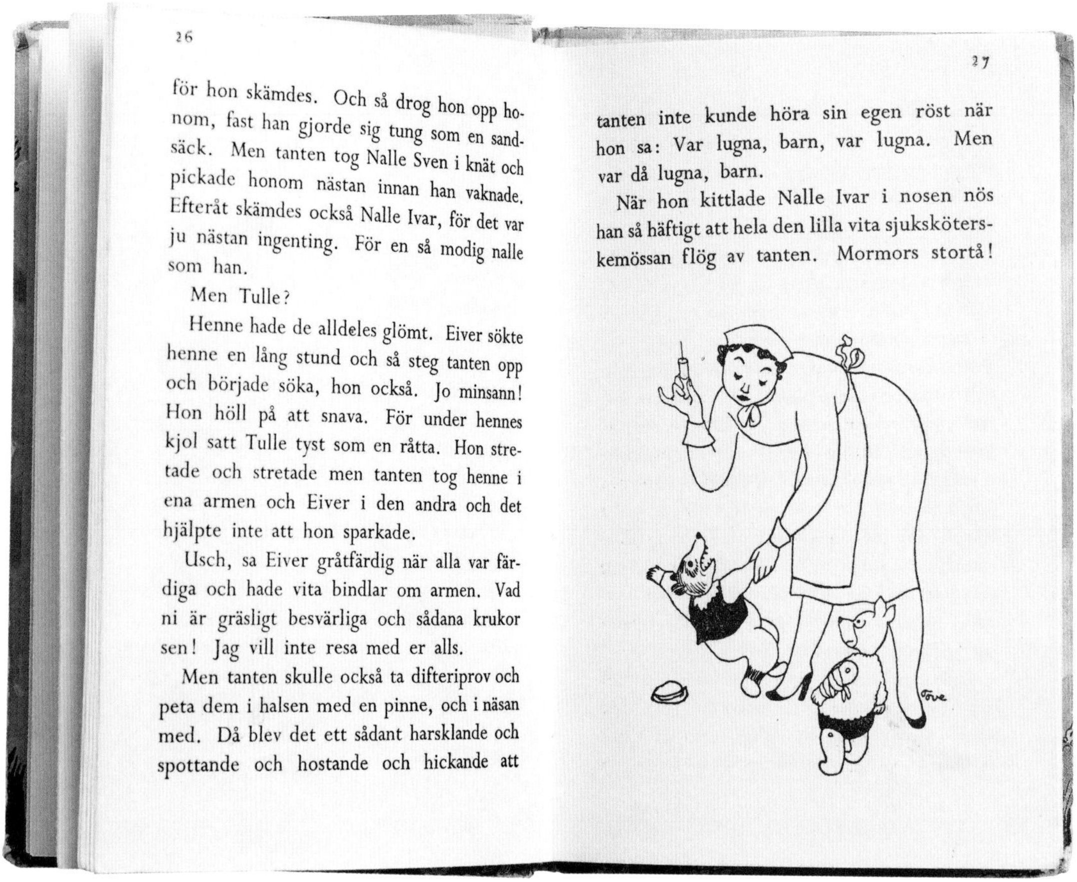

26

för hon skämdes. Och så drog hon opp honom, fast han gjorde sig tung som en sandsäck. Men tanten tog Nalle Sven i knät och pickade honom nästan innan han vaknade. Efteråt skämdes också Nalle Ivar, för det var ju nästan ingenting. För en så modig nalle som han.

Men Tulle?

Henne hade de alldeles glömt. Eiver sökte henne en lång stund och så steg tanten opp och började söka, hon också. Jo minsann! Hon höll på att snava. För under hennes kjol satt Tulle tyst som en råtta. Hon stretade och stretade men tanten tog henne i ena armen och Eiver i den andra och det hjälpte inte att hon sparkade.

Usch, sa Eiver gråtfärdig när alla var färdiga och hade vita bindlar om armen. Vad ni är gräsligt besvärliga och sådana krukor sen! Jag vill inte resa med er alls.

Men tanten skulle också ta difteriprov och peta dem i halsen med en pinne, och i näsan med. Då blev det ett sådant harsklande och spottande och hostande och hickande att

27

tanten inte kunde höra sin egen röst när hon sa: Var lugna, barn, var lugna. Men var då lugna, barn.

När hon kittlade Nalle Ivar i nosen nös han så häftigt att hela den lilla vita sjuksköterskemössan flög av tanten. Mormors stortå!

랙 에로티시즘』에 표지 그림을 그린 일도 색다른 경험이었다. 원제가 『파오』인 이 소설은, 젊은 나이지리아인 '낭간게시'가 파리에서 새로운 삶을 일구며 겪는 불평등을 연민 어린 시선으로 담아낸다. 나치가 1938년 독일어판을 금지시켰지만, 쇠데스트룀 출판사는 1941년 토베의 표지 그림을 실은 책을 핀란드에서 출간했다. 토베는 이 책을 '특별히 전율이 이는 작품: 블랙 에로티시즘'이라고 불렀다. 이 책을 작업한 후 그녀는, 몽파르나스의 바울 블랑쉬 클럽에서 유명한 흑인 댄서이자 '마르티니크의 장미'로 불리던 페르난다의 춤을 감상하던 1938년 파리의 밤을 다르게 회상하게 되었다.

위

『테디의 여행』 본문 삽화, 1944

오른쪽

소설 『블랙 에로티시즘』 표지 작업을 위한 그림, 1941

ILLÉS KACZÉR
TOVE
SVART
EROTIK
SÖDERSTRÖMS
13,2 cm

무민의 탄생

1930년대 여름 휴가 중 어느 날, 어린 토베는 코가 길고 팔과 귀가 없으며 심술궂은 트롤의 모습을 빠르고 간결하게 그렸다. 그림 아래에는 '스노크(SNORK)'라고 대문자로 적어 두었다. 이 말은 꼭 거슬리는 '킁킁' 소리 같다. 그리고 '자유란 가장 좋은 것이다.'라는 문장도 덧붙였다. 이는 남동생 페르 올로브와 함께 임마누엘 칸트를 두고 벌인 철학적 언쟁에서 토베가 마지막으로 남긴 말이었다. 두 사람의 논쟁은 부모가 빌린 섬 오두막 외벽으로 확장되었다.(역주: 토베는 펠링게 섬에 위치한 여름 휴가철 오두막의 외부 화장실 벽에 칸트를 닮은 무민 비슷한 그림을 그렸다.) 무민은 이렇게 탄생했다. 놀랍게도 남매의 낙서는 굳건히 살아남았다.

토베는 '크고 둥글고 하얀 코처럼 눈으로 뒤덮여 늘어진' 나무 그루터기를 보고 무민의 둥근 주둥이에 대한 아이디어를 처음 얻었다고 훗날 회상했다. 자연은 다양한 영감의 원천이 되어 주었다. 무민이라는 이름은 에이나르 외삼촌 집에 머물던 미술 학교 시절로 거슬러 올라간다.

"스톡홀름에 머물던 어린 시절, 늘 배가 고파서 식품 저장고에서 야식을 먹곤 했어요. 외삼촌은 그곳에 '무민트롤'이 살고 있고, 불쑥 튀어나와 목을 날려 버릴 수 있다고 겁을 주었지요. 무민트롤은 부엌 난로 밑에 산다고 했어요."

외삼촌이 들려준 무시무시한 이야기 속 괴물에서 출발한 이 캐릭터를 통해, 토베는 날로 악화되는 전쟁 전의 불안을 표현해 나갔다. 트롤의 초기 모습은 일기장 속 스케치에 유령처럼 숨어 있다. 검은색에 귀가 뾰족하고 거의 악마 같은 존재가 일련의 수채화 그림에 귀신처럼 등장하기도 한다.

1943년 <가름>의 표지와 한 컷짜리 만화에 작고 하얀 트롤 두 마리가 등장하면서 처음으로 사람들의 시선을 끌었다. 그중 하나는 '스노크'라고 불리며, 토베의 '화난 캐릭터 대표'가 되었다. 스노크는 간혹 토베의 이름이나 잡지 로고에 등장하고, 구석에서 중심 이미지를 따라 하거나 지적하는 식으로 유머를 구사하기도 했다. 그러다 마침내 스노크는 자애롭고 매

오른쪽 위
얀손가 휴가철 오두막 벽에 남은 낙서, 토베가 1930년대 그린 무민의 원형 '스노크'

오른쪽 아래
소련 공습을 피해 지하 대피소로 들어가는 헬싱키 시민을 관찰해서 그린 유화

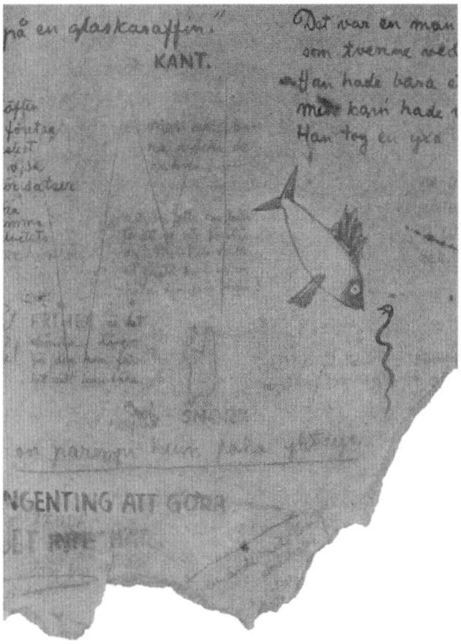
på en glaskaraffin."
KANT.
Det var en man
SNORK
NGENTING ATT GÖRA

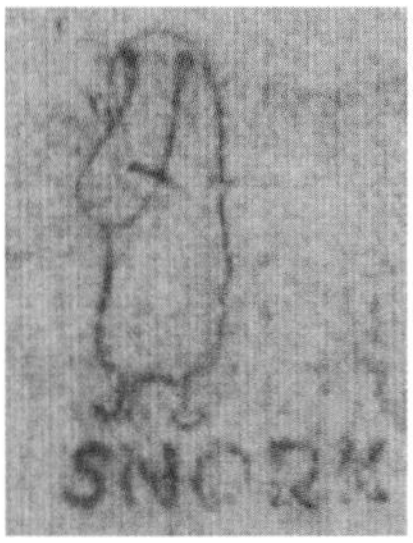
SNORK

TOVE

력적인 원형으로 변신하게 되었다.

1939년 겨울, 큰동생 페르 올로브가 군대에 갔다. 제2차 세계대전 때문에 토베는 그림 그릴 의욕을 거의 잃어버렸다.

"그림을 그리는 게 완전히 무의미하게 느껴졌어요."

당시 핀란드는 공식적으로는 친독일 입장을 표명했고, 소련은 처음으로 핀란드를 공습했다. 스물다섯 살 토베는 이에 대해, 파멸을 예고하는 단색 수채화를 그리는 것으로 대응할 수밖에 없었다. 시민들이 도망가는 거리 장면에서, 모든 색은 지워지고 오직 공습 대피소를 알리는 작은 빨간 불 하나만이 남아 있었다.

예술적 한계를 극복하기 위해 토베는 스노크를 소재 삼아 독특한 동화를 직접 쓰기 시작했고, 마침내 '무민트롤'이라는 이름을 붙였다. 하지만 생계를 유지하고 가족과 친구들의 생존을 돕는 데 힘쓰다 보니, 반쯤 쓴 이야기는 옆으로 밀어 둘 수밖에 없었다.

그러다 1944년 봄, 페르 올로브가 휴가를 나오면서 토베는 열정을 되찾아, 다시 원고를 쓰기 시작했다. 집에서 가족과 살면서 작업실을 단기로 빌려 쓰던 토베는, 이 시기부터 특이하고 천장이 높은 꼭대기 층 아파트를 빌려 몇십 년간 작업실 겸 집으로 사용했다. 이곳에서 토베는 원고를 무사히 마쳤으며, 어린이책으로 만들면 어떻겠냐는 친구의 제안에 삽화를 그려 넣었다. 기쁘게도 쇠데스트룀 출판사에서 출간에 동의해, 토베가 온전히 쓰고 그려서 그녀의 이름이 적힌 첫 책이 세상에 나왔다.

무민도 토베처럼 이제 그림자와 구석에서 벗어나 중앙 무대에서 스포트라이트를 받아야 할 때가 되었다. 토베는 『작은 무민 가족과 큰 홍수』라고 제목을 짓고 싶었지만, 출판사는 누구도 '무민'이 무엇인지 모른다며 걱정했다. 출판사가 원한 제목은 『작은 트롤들과 대홍수』였다.

암울한 전쟁의 마지막 해를 보내느라 출간은 연기되었다. 그러자 토베는 본 슐츠의 『테디의 여행』 삽화에, 그리고 마틴 쇠데르 옐름이 쓴 『파리마야』의 표지와 첫 장에 무민트롤을 슬쩍 끼워서 그렸다. 또 카롤루스 시외스테트의 『보그 형제의 위업』(1946)과 릴리 포스-노드스트룀의 『봄이 깨어나다』(1951)에도 무민을 등장시켰다.

무민 단행본은 1945년 후반이 되어서야 토베가 원하던 제목으로 출간되었다. '모든 것이 자연스럽고 상냥하며 가능했던, 믿을 수 없는 세계'라는 설명과 함께 앞부분에 장소와 등장인물을 소개했으며, 앞으로 등장할 다른 인물들의 이름은 내용에서 빠졌다.

전쟁 전후로 토베와 많은 가족이 파란만장한 이별을 겪고, 핀란드의 많

오른쪽
카롤루스 시외스테트(필명 '돈 카를로스')의 『보그 형제의 위업』 표지에 카메오로 등장한 무민

TOVE
Bröderna Borgs Bedrifter
TEXT AV
DON CARLOS
RITAD AV
TOVE JANSSON

은 영토가 소련에 넘어갔으며, 30만여 명의 핀란드인이 난민이 되었다. 이런 상황을 반영하여, 이야기는 무민트롤과 무민마마가 사라진 무민파파를 찾는 내용을 담고 있다. 다재다능하고 헌신적인 무민마마는 어머니함에 대한 헌사였으며, 여러 캐릭터는 토베의 가족, 친구, 연인, 그리고 그녀 자신을 기반으로 만들어졌다.

토베는 책을 읽고 기술을 연마하고 『테디의 여행』 삽화를 그린 경험을 적용해, 『작은 무민 가족과 큰 홍수』의 페이지와 화면을 구성할 때 주의 깊게 크기를 정한 그림들을 적절히 엮었다. 본문 주변이나 안에 긴 모양, 좁은 모양, L자 모양의 그림들을 배치했다. 무민 이야기는 48쪽 분량의 소설로 늘어났다. 이를 위해 토베는 잉크로 서른두 점의 그림을 그렸는데, 대부분의 그림이 경계선 없이 페이지를 떠다닌다. 또한 짙은 갈색 색조로 분위기 있는 수채화를 열네 점 더 그렸으며, 이 중 다섯 점은 전체 화면을 채웠다.

표지는 눈길을 사로잡는 초록색과 분홍색으로 이루어졌다. 토베는 욘 바우어의 트롤 삽화에서 튀어나온 듯한 빽빽하고 신비로운 숲을 그리고, 작은 주인공을 더 작아 보이게 만드는 빛나는 꽃도 그려 넣었다. 손으로 섬세한 윤곽선을 그린 초기 무민은, 이후의 형태보다 덜 매끄럽지만 곡선미가 있으며 입이 그려져 있다.

파체르 초콜릿 바를 비롯해 환상적인 과자 정원을 상상하는 이야기는 당대의 식량 부족 상황을 반영하고 있다. 훗날 유명해진 무민은 파체르 브랜드의 광고 모델이 된다.

그러나 막상 세상에 갓 나온 『작은 무민 가족과 큰 홍수』는 엇갈린 평가를 받았다. 인쇄한 2,800부 중에서 1946년에 219부, 1947년에는 183부만 팔렸다. 토베는 단념하지 않고, 출간 전부터 이미 다음 책을 위해 나아가고 있었다.

오른쪽

첫 무민 소설 『작은 무민 가족과 큰 홍수』 표지, 1945

뒷장

<도시의 축하연>, 헬싱키 시청 프레스코화 두 점 중 두 번째 작품, 5×3.13미터, 1947. 1945년 토베는 처음으로 대규모 공공 미술 작품 의뢰를 받았다. 스트룀베르그 전기기계 공장 구내식당에 걸릴 벽화 두 점이었다. 1947년에는 헬싱키 시청에서 직원 식당을 재단장하려고 수수한 그림 두 점을 의뢰했다. 토베는 벽을 목가풍의 프레스코화로 채우자고 제안했다. 이는 토베가 막 바른 석고 위에 건조한 분말 안료를 바로 칠하는 새로운 기술을 연마했음을 의미한다. 조수의 기술적 도움을 받아 첫 벽화를 완성한 후, 토베는 홀로 두 번째 작품 <도시의 축하연> 작업에 돌입한다. 이 그림에서 토베는 차분하게 담배를 피우는 자신을 그려 넣었으며, 유리잔 옆에 무민도 등장시킨다. 토베의 뒤에는 어두운 색깔의 머리카락을 지닌 연인 비비카 반들레르가 크리스찬 디올의 1947년 '뉴 룩'을 반영한 드레스를 입은 채 춤을 추고 있다.

TOVE JANSSON
Tove
SMÅTROLLEN
OCH DEN
STORA ÖVERSVÄMNINGEN

무민 골짜기에 나타난 혜성

『혜성 사냥』(역주: 『혜성 사냥』은 첫 출간 당시 원제이며, 국내에서는 『혜성이 다가온다』로 번역 출간되었다.) 역시 또 다른 자연재해를 다룬다. 이번에는 무민 골짜기에 혜성이 떨어진다. 1946년에 출간된 이 책은 토베가 헬싱키에서 겪은 공습과 미국의 일본 원자폭탄 투하 소식에 대응하는 작품으로 여겨져 왔다. 이번에도 초록색과 분홍색을 주로 활용해 광대하고 초현실적인 풍경을 표지로 그리고, 잉크와 부드러운 수채로 여러 삽화를 그렸다.

하지만 이 책은 단편 소설이 아니라 열두 꼭지로 이루어진 상당히 긴 소설로, 향후 나올 작품들의 본보기가 되었다. 캐릭터의 첫 등장처럼 특별한 계획이 필요하지 않는 한, 토베는 이미지로 작업을 시작한 적이 거의 없다. 보통은 장문으로 글을 먼저 쓴 후, 인쇄할 준비가 될 때까지 신중하게 이야기를 다듬었다. 그 후 돌아온 본문 교정본을 자르고 붙여 더미를 만들었다. 각 화면을 배치하고, 모든 삽화마다 짧은 메모, 제목, 혹은 자신이 알아볼 수 있는 스케치 등으로 크기나 위치 정보를 적어 넣었다.

아래와 오른쪽
『혜성 사냥』 초판에 들어간 그림에는 회색 음영이 있었으나, 1946년 영국판 출간을 위해 선으로만 다시 그렸다.

Tove

위

멀리 스너프킨이 처음으로 등장한다.

『혜성이 다가온다』

두 번째 무민 책에서, 혜성의 종말론적 위협은 극복되고 세계는 다시 태어난다. 토베는 그녀가 무척 좋아하던 버로우의 타잔 같은 남성 영웅의 성별화된 클리셰(역주: 문학예술 작품에서 익숙하고 틀에 박힌 설정을 뜻한다.)에 균열을 낸다. 무민이 독이 있는 덤불에서 친구 스노크메이든(여성)을 구하지만, 스노크메이든 역시 대왕 오징어로부터 무민을 구출한다. 스노크메이든은 페미니즘, 그리고 여성이 얼마나 현실적이고 유능한지에 대한 토베의 생각을 반영한다. 또 이 책에 등장한 스너프킨은 파이프를 물고 녹색 모자를 쓴 무소유의 방랑자이다. 이 캐릭터는 토베의 친구이자 한때 연인

오른쪽 위
화단 주변에 조개껍질을 빙 두른 무민마마, 『혜성이 다가온다』

오른쪽 아래
혜성을 피해 동굴에 머무는 장면은, 전쟁 공습에 대피하는 모습을 떠올리게 한다. 『혜성이 다가온다』

사이였던 좌파 지식인 아토스 비르타넨에게서 영감을 받아 만들어졌다.

출판사는 뒤표지에 '작가가 자신의 이야기를 그렸기에, 이 책은 작은 예술 작품이 되었다.'라고 광고 문구를 넣었다. 이 책은 대개 호의적이었지만, 책에 대한 감상평이나 독자의 반응이 거의 없었다. 1948년 초까지 246부밖에 팔리지 않을 정도로 판매 실적도 부진했다. 그렇지만 이 책 덕분에 처음으로 무민 책이 핀란드 외 지역에서 발간되었다.

1947년 스웨덴에서 첫 출간된 책 표지의 그림은 위협적인 분위기를 자아낸다. 겁에 질린 생명체가 소지품을 챙겨 동굴로 달아나고, 혜성이 그들 위로 떨어지고 있다. 전쟁으로 쫓겨난 난민들과 명확하게 겹쳐지는 장면이다. 또한 어니스트 벤 출판사에서 영어판을 내면서 제목도 『무민 골짜기에 나타난 혜성』(1951)으로 바뀌었다. 토베는 우울한 분위기를 덜어낸 새로운 책 표지를 디자인하고, 본문의 수채 삽화도 펜과 잉크로 다시 그렸다. 1956년 핀란드에서 스웨덴어로 재발간된 책에는 더 대담한 표지를 그렸다. 빨간색 배경에 삐죽삐죽 눈속임 기법의 구멍이 뚫려 있고, 모든 등장인물이 구멍을 통해 혜성을 피하는 것처럼 보인다.

1947년 스웨덴어로 발행하는 사회주의 일간지 <뉘 티드(새 시대)>의 편집장 아토스 비르타넨이, 토베에게 금요일 어린이 부문에 실을 만화를 그려 달라고 요청했다. 토베는 마감에 시달리며 혜성 이야기를 각색했다.

예고편과 이미지 몇 편이 발표된 후, 1947년 10월 3일 「무민트롤과 세상의 끝」이라는 제목의 6컷 만화가 길쭉한 가로 모양으로 처음 실렸다. 연재만화에서 토베는 이미지 아래 본문을 배치하는 형식을 고수했지만, 이번에는 손글씨를 써서 표현력을 높이고, 풍부한 느낌을 전달하려고 크

아래

슬픔에 빠진 채 무민트롤의 케이크를 먹는 철학자 사향쥐, 『혜성이 다가온다』

오른쪽

핀란드에서 재출간된 스웨덴어 개정판 표지, 『혜성이 다가온다』, 1956

기도 변경했다. 본문 글자는 여성 캐릭터가 말할 때 화려하게 장식되고, 회오리바람이 불어닥치면 날아가기도 한다.

1947년 12월 5일 토베는 연재 중인 만화에 토브슬란과 비브슬란(영어로는 '팅거미와 밥')이라는 이름을 지닌 두 주인공을 소개했다. 그해 초 <가름> 표지와 병에 든 음료 광고를 통해 갓 데뷔한 인물이었다. 떼려야 뗄 수 없는 두 인물과 이들의 독특한 언어는 토베와 첫 여성 연인이자 연극 감독인 비비카 반들레르 두 사람 사이의 단어 게임이 바탕이 되었다. 1971년 핀란드에서 동성애가 합법화될 때까지, 토베는 사랑하는 여인에 대해 신중함을 유지했으며 자신의 성적 지향을 '유령 쪽'이라는 은어로 표현했다.

이 만화에서 거대하고 우울하며 빙하 같은 '그로크'가 처음 등장한다. 그때껏 토베는 빙하를 들어만 보았지 본 적은 없었다. 일부 깐깐한 <뉘 티드> 독자들이 만화의 정치적 성향에 대해 불평하기도 했다. 특히 무민파파가 친왕당파 신문을 읽는 모습이 등장하자, 비르타넨은 토베에게 연재를 어서 끝내야겠다고 말했다. 1948년 4월 2일 만화는 갑작스럽게 종

위

<뉘 티드>에 주간 연재된 6컷 만화. 토베와 비비카 반들레르를 모델로 한 토브슬란과 비브슬란(영어 이름은 '팅거미와 밥')이 등장한다. 1947년 12월 5일

오른쪽

3막극 <무민트롤과 혜성>을 위한 무대 장치 디자인, 1949

료되었다. <뉘 티드>는 가을에 돌아올 거라 약속했지만, 토베가 다시 신문 만화를 시작하기까지는 무려 4년이 걸렸다.

1948년에는 『혜성이 다가온다』를 연극으로 각색하게 되었다. 비비카 반들레르가 헬싱키에 있는 스벤스카 극장에 무민 연극을 올리자는 아이디어를 냈다. 이사회는 이 작품이 틀에서 벗어나고 비도덕적이며 주제가 너무 어둡기도 해서 어린이 관객에게 부적절하다고 생각했지만, 1년 후 기회를 주기로 했다.

토베는 의상과 무대 배경의 세부적인 디자인을 그리는 까다로운 작업에 뛰어들었다. 포스터와 출연진을 그린 흑백 초상화 열두 점뿐 아니라 무민트롤과 작품에 대해 '인터뷰'한 한 장짜리 그림도 그렸다. 토베의 '3막 구성 어린이 연극'은 1949년 12월 28일 초연되었다. 신문 독자들 사이에서 긍정적인 평가와 격렬한 토론이 오갔다.

'혼란에 빠진 아버지'는 토베의 등장인물을 '지옥에서 온 암말이나 유대목 동물(역주: 캥거루, 코알라처럼 아기주머니에 새끼를 넣고 다니는 동물)'로 착

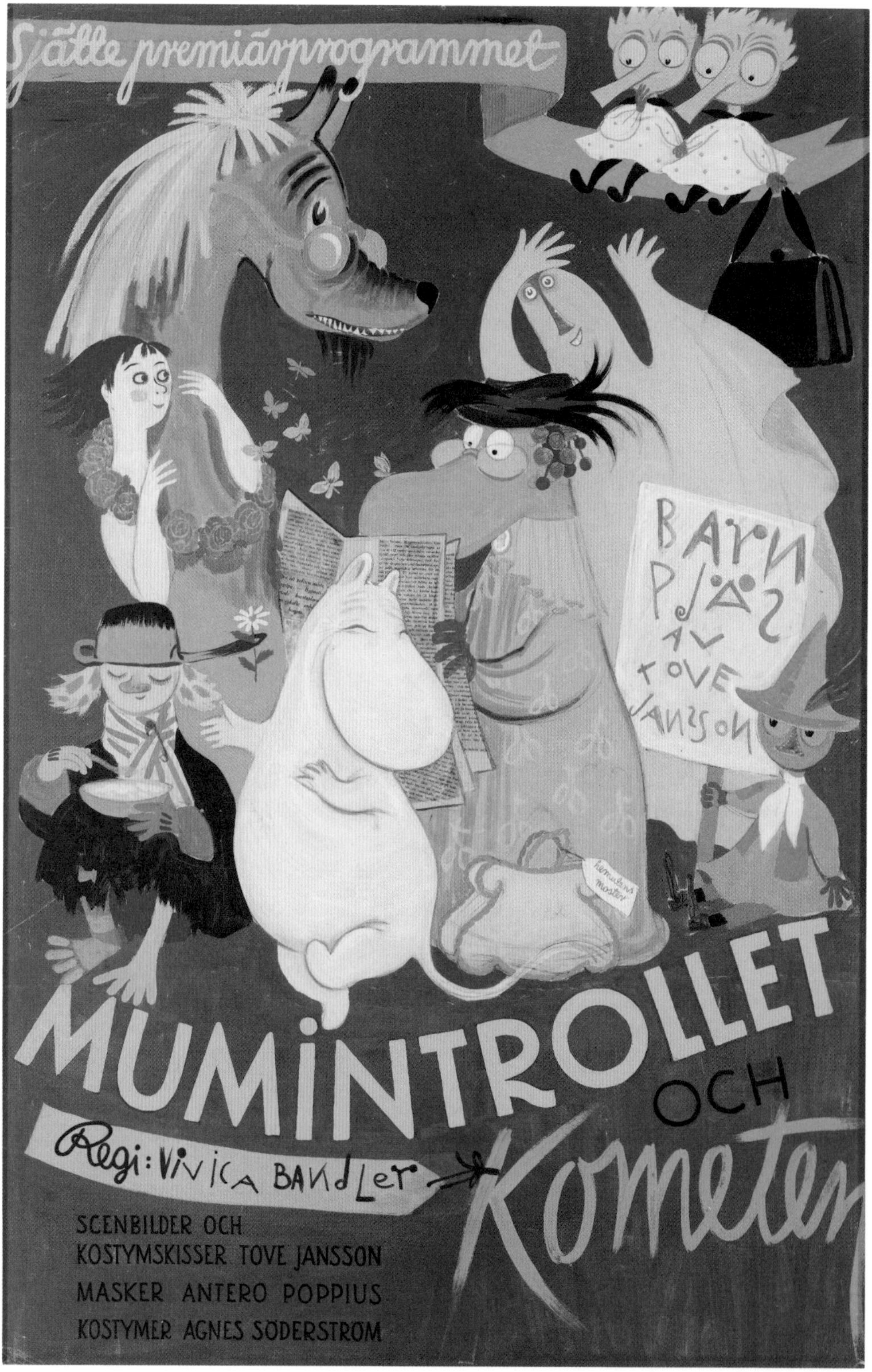
Sjätte premiärprogrammet
BARN PJÄS AV TOVE JANSSON
MUMINTROLLET OCH Kometen
Regi: VIVICA BANDLER
SCENBILDER OCH
KOSTYMSKISSER TOVE JANSSON
MASKER ANTERO POPPIUS
KOSTYMER AGNES SÖDERSTRÖM

왼쪽

어린이 3막극 <무민트롤과 혜성>의 극장 포스터, 1949

아래

연극을 본 후 '혼란에 빠진 아버지의 초상', 니아 프레센, 1949

각하기도 했다. 이런 관심은 연극을 19회나 올리는 데 도움이 되었고, 훗날 다른 북유럽 도시 순회공연으로도 이어졌다. 이렇게 토베와 비비카의 연극 무대 협업이 시작되었다. 토베는 무대 상연을 위해 열여덟 편의 작품을 썼고, 대부분 무민을 주제로 했다.

핀란드 가족 무민트롤

혜성을 다룬 두 번째 책의 판매 실적이 저조한데도, 1948년 토베는 세 번째 소설을 집필하는 일에 푹 빠졌다. 스크힐드스라는 새로운 출판사와 만나, 판형은 작아지고 쪽수가 늘어나는 새로운 형식에 적응해 갔다. 토베는 『마법사가 잃어버린 모자』(원제는 『홉고블린의 모자』)에서 무민 친구들과 그들의 세계를 전쟁의 그림자에서 벗어나 보다 밝은 관점으로 산뜻하게 그려 냈다. 또한 '새로운 기술'을 그림에 적용하기도 했다.

"혜성 이야기보다 훨씬 나아졌어요. 색조 없이 오직 흑백으로만 그렸지요."

토베는 물감 대신, 일정한 너비로 여러 획을 긋는 식으로 밀도를 조절하여 음영의 풍부함을 표현해 냈다. 하나는 가늘고 하나는 더 두꺼운 그래픽용 펜 두 자루를 함께 사용했다. 상상 속의 세계를 짓는 작가로서, 토베는 풍경과 바다, 하늘을 그릴 때 길고 짧은 선의 폭풍을 활용하여 강렬

왼쪽
강렬하고 대비가 뚜렷한 선이 사건을 더욱 극적으로 보이게 한다. 『홉고블린의 모자』, 1948

오른쪽
화면을 가득 채운 강렬한 삽화, 『홉고블린의 모자』, 1948

Tove

한 인상을 넘어 거의 촉각으로 느껴지도록 만들었다. 암시적인 그녀의 글을 살펴보면, 토베는 '때로는 선과 면이 단어보다 더 많은 것을 말한다'는 점을 알고 있었다. 이미지 중 일부는 에칭과 유사한 선으로 새겨져 있다. 붓질과 대조 기법이 숙달되면서, 토베의 그림은 항상 초점이 명확하고, 검은색 단색 혹은 흰 여백으로 둘러싸인 등장인물이 돋보이게 된다.

일본 전문가 아사노 슈고와 카나 무라세 박사는 토베가 변화무쌍한 자연과 날씨를 그리게 된 데에는 일본 전통 '우키요에(역주: 일본 무로마치 시대부터 에도 시대까지 발달한 목판화)'의 영향이 있었으리라 추측했다.[4] 토베가 영감을 받았다고 직접 말한 적은 없으나, 호쿠사이(역주: 일본 에도 시대의 목판화가)의 작품을 포함한 우키요에 몇 점을 가지고 있던 것은 사실이다. 일본에서 무민이 그토록 인기를 끈 이유는 이런 흥미로운 연관성 때문인지도 모르겠다.

『마법사가 잃어버린 모자』는 무민 소설 시리즈의 형식을 완성했다. 토베의 첫 책도 보다 널리 번역되어, 그녀에게 꼭 필요한 수입을 안겨 주었다. 이 책은 보다 재치있게 『핀란드 가족 무민트롤』로 제목을 바꾸어 1950년 영국에서 출간되었다. 등장인물의 이름을 소개하는 동시에, 토베가 유년 시절 무척 좋아하던 요한 다비드 뷔스의 『스위스 가족 로빈슨』에서 본뜬 제목이기도 했다.

이후 『무민파파의 회고록』(1950)부터 『늦가을 무민 골짜기』(1970)까지 3-5년마다 새 소설이 나왔으며, 시리즈는 갈수록 인기를 얻었다. 토베는 표지에서 검고 딱딱한 윤곽선을 줄이고 색채의 비중을 늘렸다. 등장인물과 다른 요소들이 배경과 구분되도록 얇고 하얀 윤곽선을 활용하여 빛나는 것처럼 표현했다. 온통 흰색인 무민을 표현하기 위해 검은 윤곽선을 쓰면서도 이런 '아우라'를 더해서 등장인물을 더욱 돋보이게 했다.

1951년 여름, 토베는 첫 어린이 그림책 『그다음에 무슨 일이 있었을까요? 무민, 밈블, 그리고 미이에 관한 이야기』를 준비했다. 그림책의 양면을 활용하여 무대 배경 같은 열두 장의 풍부한 이미지로 이야기를 들려준다. 이 책은 꼬마 미이를 찾으러 가는 무민과 밈블, 그리고 무민마마와의 재회를 담고 있다. 앙리 마티스의 종이 오리기 기법에 영감을 받아, 토베는 단순한 색채로 과감하게 모양과 선을 그렸다. 앞뒤 표지와 각 페이지에 다른 모양의 구멍을 하나씩 내거나(첫 장에는 구멍이 두 개이다.) 오른쪽 모서리를 오려 내어 페이지를 넘길 때 신선한 매력을 더했다.

수수께끼 같은 구멍을 들여다볼 때마다 이 책에 대한 독자의 기대감은 더 커진다. "(앞에서부터든 뒤에서부터든) 구멍 사이로 들여다보면서 눈길을

오른쪽
『마법사가 잃어버린 모자』의 핀란드판 표지

TOVE JANSSON
Tove
TAIKURIN
HATTU
WSOY

끌어당기는 낯선 무언가를 엿볼 수 있어요. 그러다 장을 넘기면 예상한 것과 전혀 다른 것이 등장하지요."라고 토베는 설명했다. 이전에도 어린이책에 구멍을 활용하기는 했지만, 이토록 다양하고 기대감 넘치는 결과를 보여주지는 못했다.[5]

운율을 살린 글을 인쇄하는 대신, 토베는 손글씨를 직접 써서 단어를 시각적으로 표현했다. 화면의 모든 요소를 손으로 그린 셈이다. 독자들은 이 그림책에 열광했다. 토베는 더욱 유명해졌으며, 이 책 덕분에 그녀는 첫 번째 상을 받았다. 물론 그 이후로 수많은 상을 받게 된다.

아래

『그다음에 무슨 일이 있었을까요? 무민, 밈블, 그리고 미이에 관한 이야기』, 혁신적인 디자인과 이야기는 독자가 구멍 사이를 보도록 이끌며 꿈 같은 현실로 이동하게 한다. 1951

일간지 연재만화

1952년 1월 29일, 런던에서 날아온 편지가 토베의 인생을 바꾸었다. 영국의 미디어 그룹인 AN(역주: 어소시에이티드 뉴스페이퍼 Associated Newspapers가 기업의 정식 명칭이지만, 편의상 AN으로 표기한다.)의 수장인 찰스 서턴은 <데일리 메일>에 '재미있는 무민 가족 만화'를 연재해 주기를 바란다고 썼다. '꼭 어린이를 위한 만화일 필요는 없으며', '문명화된 삶의 양식을 풍자하는' 만화면 좋겠다고 제안했다. 토베는 기회를 발견했다. 3개월 동안 수많은 편지를 보내온 서턴(토베는 그를 '무턴 자매'라는 별명으로 불렀다.)은 급기야 헬싱키로 건너와 80부작 이야기 제안을 승인하고 계약을 마무리했다.

서턴은 노동절 전날인 4월 30일 핀란드에 도착하여, 토베 무리와 함께 작업실에서 밤샘 파티를 즐긴 후 근처에서 떠들썩한 아침 식사를 했다. 물론 진지한 업무 이야기도 나누었다. 토베는 계약 관련 조언을 구했고, 결국 서턴은 다른 신문사에 팔 만화에 대해 추가 수익을 배분한다는 중요한 조항을 추가했다. 이 수익이 상당한 비중을 차지했다. 서른여덟 살이 된 토베는 7년 연재 계약을 맺고, 고정 수입원이 생기면서 '인생 처음으로 정규 직업이 생긴' 데 만족했다.

서턴과 토베 사이 2년이 넘는 시간 동안 수많은 서신이 오간 뒤에야, 1954년 9월 무민 만화 연재가 시작되었다. 이토록 오랜 기간 많은 돈을 들여 콘텐츠를 개발하는 경우는 다른 신문 발행 사례에서 찾아보기 어렵다. AN이 이 작품에 얼마나 관심을 기울이고 기대가 컸는지 보여주는 대목이다. 여전히 상대적으로 초보자에 가까운 토베는 조언에 충실히 귀를 기울였다. 월요일부터 토요일까지 독자를 사로잡기 위해서 현대 연재만화의 특정 요구사항을 파악하고, 한 줄에 서너 칸 분량의 만화로 구성했다. 처음 토베는 만화 컷 아래 본문을 넣었지만, 서턴은 말풍선을 쓰자고 했다. 예전에 직접 인쇄한 학교 책자에 말풍선을 사용한 적은 있었지만, 토베가 늘 사용하던 방식은 아니었다.

AN의 만화가 데이비드 마이어스가, 거절당한 토베의 초안 한 점을 최근에 발견했다. 손상되고 커피 얼룩이 진 채였다. '2'라고 번호가 붙은 이 작품은 첫 번째 이야기의 18-19번째 줄 장면이 되었다. 이때만 해도 토베는 아직 말풍선을 윤곽선 대신 얇은 점선으로 그렸다. 그리고 주변을 하늘색으로 칠했는데, 이는 인쇄 과정을 거치면 기계적 점이 수없이 찍힌 회색 망점으로 바뀌어 보이게 된다. 때로는 무민 소설 삽화를 그릴 때처럼 손글씨를 추가하기도 했다. 더 크고 빠르게 작업해야 할 뿐 아니라 흐

뒷장, 왼쪽
무민의 일간지 연재만화 첫 시작을 위한 연필 초안. 토베는 만화 칸 안에 스웨덴어로 글을 썼고, 칸 아래에는 남동생 라르스가 번역한 영어 문장이 적혀 있다.

뒷장, 오른쪽
첫 이야기 12-14번째 줄 장면의 초안, 「무민과 도적 떼」, 1954

60-61쪽
토베는 완성된 작품이 어떻게 나올지 보여주려고 등장인물 견본과 의상을 그려 두었다. 이는 첫 이야기를 위한 작업이다.

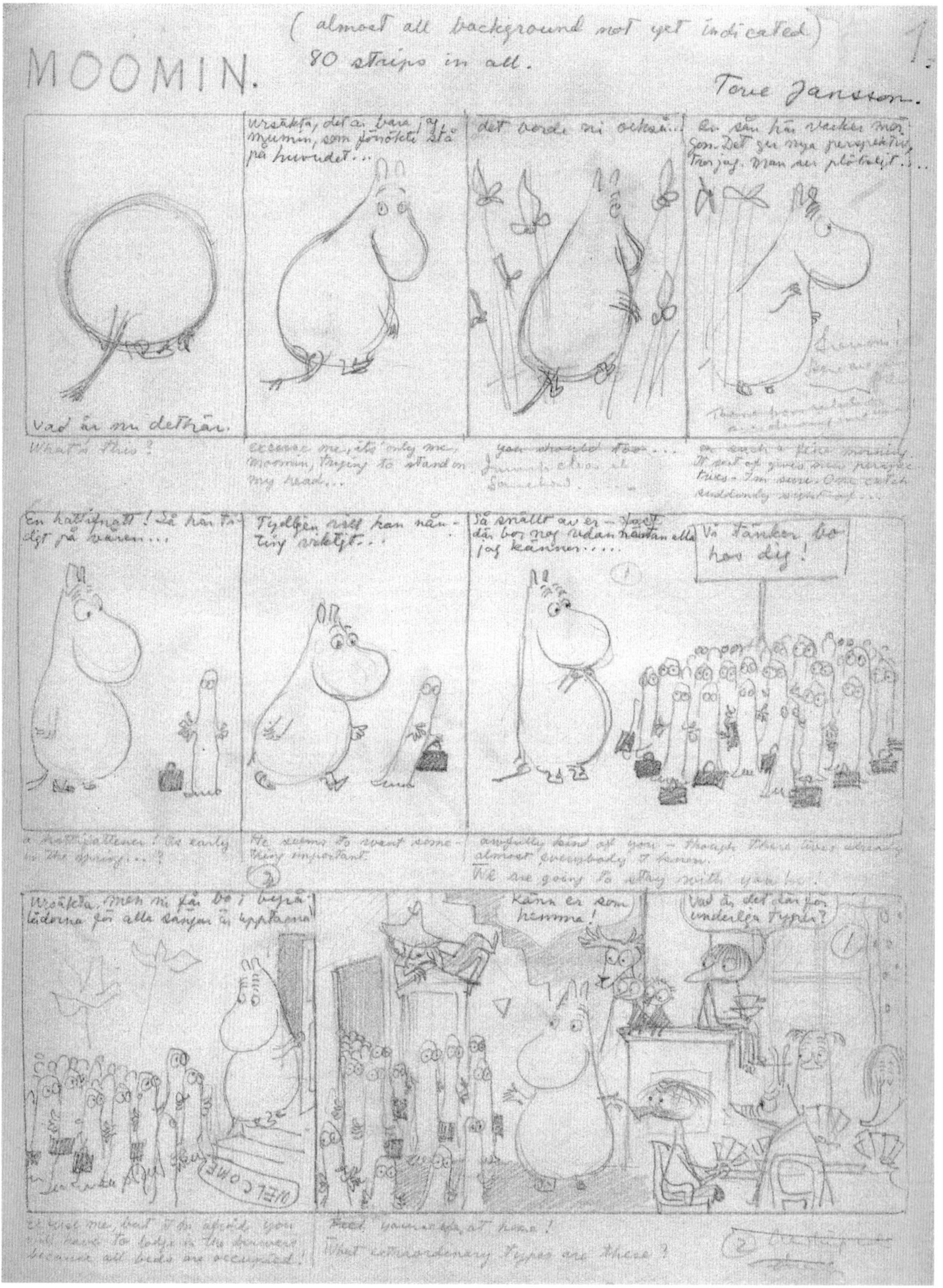
(almost all background not yet indicated)
MOOMIN.
80 strips in all.
1.
Tove Jansson.
Vad är nu dethär.
What's this?
Ursäkta, det är bara jag, Mumin, som försöker stå på huvudet...
excuse me, it's only me, moomin, trying to stand on my head...
det borde ni också...
you should too...
En hattifnatt! Så här tidigt på våren...
Tydligen vill han nånting viktigt...
He seems to want something important
Så snällt av er – fast där bor nog redan nästan alla jag känner....
Vi tänker bo hos dig!
We are going to stay with you too!
Ursäkta, men ni får bo i byrålådorna för alla sängar är upptagna
because all beds are occupied!
WELCOME
Känn er som hemma!
Feel yourselves at home!
Vad är det där för underliga typer?
What extraordinary types are these?

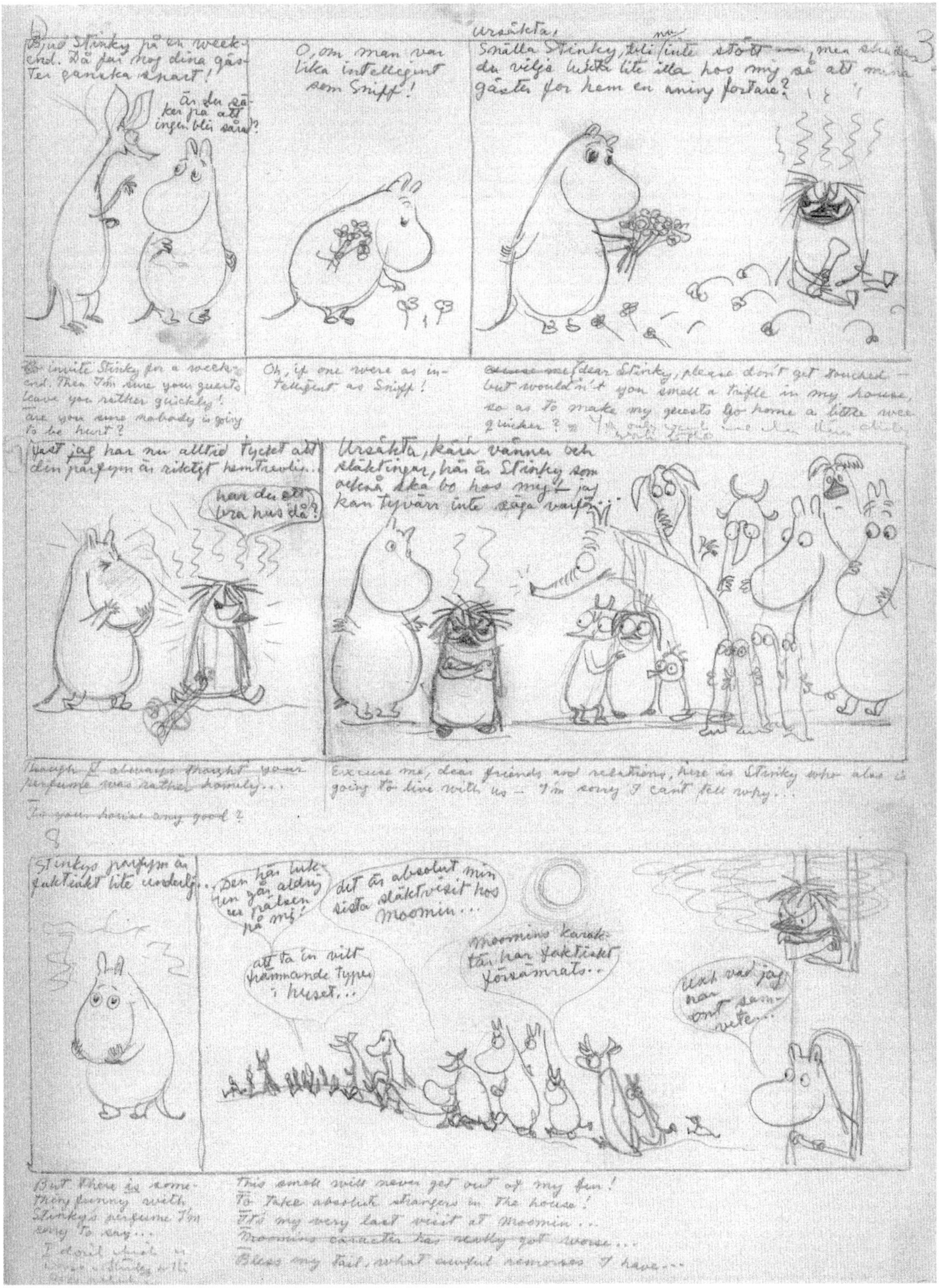
Bjud Stinky på en week-end. Då far nog dina gäster ganska snart!
Är du säker på att ingen blir sårad?
O, om man var lika intelligent som Sniff!
Ursäkta, Snälla Stinky, bli inte stött, men skulle du vilja lukta lite illa hos mig så att mina gäster far hem en aning fortare?
Invite Stinky for a week-end. Then I'm sure your guests leave you rather quickly!
Are you sure nobody is going to be hurt?
Oh, if one were as intelligent as Sniff!
dear Stinky, please don't get touched — but wouldn't you smell a trifle in my house, so as to make my guests go home a little wee quicker?
Fast jag har nu alltid tyckt att din parfym är riktigt hemtrevlig...
Har du ett bra hus då?
Ursäkta, kära vänner och släktingar, här är Stinky som också ska bo hos mig. Jag kan tyvärr inte säga varför...
Though I always thought your perfume was rather homely...
Is your house any good?
Excuse me, dear friends and relations, here is Stinky who also is going to live with us — I'm sorry I can't tell why...
Stinkys parfym är faktiskt lite underlig..
Den här lukten går aldrig ur pälsen på mig!
det är absolut min sista släktvisit hos Moomin...
att ta in vilt främmande typer i huset...
Moomins karaktär har faktiskt försämrats..
Usch vad jag har ont samvete...
But there is something funny with Stinky's perfume I'm sorry to say...
This smell will never get out of my fur!
To take absolut strangers in the house!
It's my very last visit at Moomin...
Moomins character has really got worse...
Bless my tail, what awful remorses I have...

Episod 1. moomin.
Allmänhet.
Fröhandlaren.
MIXED SEEDS
Snusmumriken.
Ett sällsynt djur.
Tove Jansson

Skönhetstävlan.
Åskådare.
£1
Prisutdelare.
mårra
Stinky.
Stråtrövare.

Episode 1.
Moomin.
mumintrollets vänner.
Gamyler.
Ett sällsynt djur en face.
En Hatifnatt.
Samma gamyler
sedan de har
Tove Jansson

렷한 신문 인쇄에 적합한 방식으로 일주일에 여섯 번 그림을 그려야 했지만, 토베는 현명하게도 균일한 화면 분위기를 유지했다.

1947년 토베와 막내 남동생 라르스는 핀란드만에 자리한 작은 섬을 빌려 단순한 집을 짓고 '빈드로센(바람 장미)'이라고 이름 붙였다. 바람 장미는 토베의 그림에서 아름다움과 회복력의 상징으로 자주 등장하는 가시꽃이다. 따뜻한 계절에 그녀는 이곳에서 일했다. 집중을 방해하는 일도 있었지만 "만화 작업할 거리가 있어서 다행이에요. 주변이 떠들썩해도 몰입할 수가 있으니까요."라고 토베는 말했다.

그렇지만 AN이 '자꾸 바꾸려 들고 이의를 제기'하면서 과정은 길어졌다. <데일리 메일>이 만화 연재를 연기하자, 서턴은 AN의 다른 계열사인 <데일리 스케치>에 만화를 실으려 했지만 이 또한 실패했다. 결국 세계에서 가장 판매 부수가 많은 석간신문 <런던 이브닝 뉴스>에 무민 연재가 시작되었다.

1954년 3월 초 토베는 런던에 2주간 초대받아 AN의 연재만화 부서 편집장인 줄리안 핍스와 함께 만화를 마무리했다.[6] 그녀는 밴들러에게 이렇게 썼다.

'모든 행동은 다 '흐느낌'이나 '자극적인 힘', 빠른 대사, 땀과 눈물로 반응해야 해.'

만화에 음향 효과는 넣지 않는 대신, 걱정을 표현하는 땀방울이나 향기를 표현하는 물결선 등 전형적인 만화 기법은 사용했다. 토베는 자르고 다시 붙이고 그리는 일에 의구심을 갖기도 했지만, 이내 '이것이 바로 그들이 원하는 이야기라는 강하고 든든한' 느낌을 받으며 진정할 수 있었다.

왼쪽
책에서 친숙한 등장인물과 만화에서 새롭게 나오는 등장인물이 한데 그려진 그림, 「무민과 도적 떼」

위
첫 번째 이야기 중 두 번째 에피소드의 초안이 드물게 남아 전해진다.

'날마다 만나는 무민'

1954년 9월 20일 월요일, <런던 이브닝 뉴스>에 무민 만화 연재를 홍보하면서 떠들썩한 바람이 불었다. 토베는 신문 배달차 위쪽에 붙일 '날마다 만나는 무민'이라는 배너를 만들었으며, 연재 한 주 전 내내 첫 지면에 예고편을 실었다. 금요일에는 신문 4면에 토베와의 인터뷰가 크게 실렸다. 무민의 첫 연재물은 다른 만화들과 같은 면에 실리지 않고, 독자들이 많이 읽는 구인 광고로 둘러싸인 6면에 자랑스레 실렸다.

「무민과 도적 떼」(역주: 국내에는 『무민 코믹 스트립』에 「무민의 새 집 구하기」 에피소드로 번역 출간되었다.)는 토베가 이야기를 시작할 때마다 쓰던 무민 엉덩이의 단순한 원 모양으로 출발한다. 두 번째 세 번째 줄 만화는 따분한 수직선이 아니라 적절한 그림 요소로 칸을 나누었다. 토베는 만화 칸 사이를 나누는 재미있는 그림 요소를 여럿 발전시켰는데, 이 만화에서는

아래

「무민과 도적 떼」 시작 부분을 수정한 버전. 문, 판자, 줄자 등의 소품을 활용해 만화 칸을 분리하는 창의성이 엿보인다.

오른쪽

위는 첫 번째 이야기에서 사용하지 못하고 뺀 부분이다. 아래는 토베가 훗날 쓰려고 빼둔 에피소드이지만 출간되지는 못했다.

키 큰 갈대를 활용했다. 네 번째 줄에는 스니프가 등장한다. 갈수록 많은 등장인물이 만화에 나온다. 무민은 처음에 부모 없이 나오다가, 두 번째 이야기에서 무민파파와 무민마마와 '오래 잃어버린 아들'이 다시 만난다.

신문 만화의 규칙 중 하나는 설명 대신 대화를 통해 이야기를 이끌어 나가는 것이다. 이 때문에 소설을 떠올리게 한 서술과 설명이 만화에서 사라졌다.

신선한 이야기와 풍자에 대한 요구를 충족시키기 위해 토베는 새로운 주제를 찾고, 거친 서부에서 화성 침공에 이르기까지 다양한 소재를 발

굴했다. 토베는 리비에라에서 어머니와 보낸 휴가에서 영감을 받아 무민 가족을 이곳으로 보냈다. 무민 가족은 이곳에서 화려하고 부유한 생활을 경험한다. 또 화가 달리처럼 생긴 억만장자를 만나기도 하는데, 불만투성이인 그는 코끼리만 조각하면서 가난한 보헤미안 예술가의 자유를 꿈꾸는 사람이었다. AN은 만화가 실리면 원작을 폐기하는 정책을 고수했기에 토베의 원작은 고작 열두 띠 분량이 남아 있다. 그중 일곱 띠가 「리비에라에 간 무민 가족」의 내용이다. 어떤 에피소드는 토베가 나중에 사용하려고 철회한 덕에 살아남았다.

다행히 토베는 초기 스케치뿐 아니라 정확한 자리 배치에 맞추어 그린 마지막 연필 그림까지 모두 간직했다. 또 약 30개의 시놉시스도 보존하였으며, 새로운 이야기의 등장인물, 의상, 다른 디자인 등을 고안했다. 만화는 빠르게 인기를 얻었고, 해외 판권이 팔리면서 40개 국가 120여 개 신문의 수백만 독자들이 무민을 읽게 되었다. 무민이 해외 독자들에게 처음으로 사랑받게 된 것은 연재만화 덕분임을 토베도 잘 알았다.

토베는 그림 그릴 시간이 더 많아질 것이라는 기대로 만화 연재 계약서에 서명했다. 하지만 60-100편의 연재물을 계속 그려야 한다는 압력이 지속되었다. 보통 겨울잠을 자는 무민들에게도 쉼은 없었다. 연재 1주년을 맞아 토베는 신문에 실릴 무민 인터뷰를 했다. 무민은 다음 이야기에서 동계 스포츠에 참여할 것이라고 밝혔다. 또한 무민마마의 가사 도우미 미사벨을 소개하는 다음 이야기도 공개했다.

토베는 연재 일정보다 늘 앞서 작업했다. 1956년 7월 말을 기준으로 초안에서 실제 연재까지 총 1만 252장면을 그렸다. 토베가 그토록 바라던 무민 상품의 인기를 위해 무수한 결정과 디자인을 거듭해야 했고, 미디어와 대중 앞에도 나서야 했다. 게다가 그녀는 독자의 편지에 손으로 직접

위
신문에 실린 작품 중 원작이 남아 있는 장면, 「리비에라에 간 무민 가족」에서 현대 미술계의 모순을 지적하고 있다. 1955

뒷장
등장인물 소개, 여덟 번째 이야기 「새로운 삶을 시작한 무민」 기획 단계의 일부, 1956

답장하는 게 의무라고 생각했다.

1957년 4월 열세 번째 이야기가 끝날 때까지, 토베는 900띠 분량의 연속된 단독 만화를 창작했다. 그녀는 열네 번째 이야기인 「무민과 황금 꼬리」를 마지막으로 연재를 마무리하려고 했다. 하지만 이는 2년 남짓 남은 계약을 파기해야 한다는 뜻이었다. 오랜 기간 스웨덴어 대사를 영어로 번역해 온 동생 라르스는, 토베와 함께 열다섯 번째 이야기 「서부로 간 무민」을 쓰기로 했다. 그 후 라르스는 누나가 그릴 이야기 일곱 편을 추가로 썼다. '얀손'이라고 서명된 첫 4편과 서명 없는 3편까지 포함해서 총 21편의 이야기가 1,584줄 띠 모양 만화로 그려졌다.

1959년에 그린 마지막 만화는 1960년 새해 첫날 별다른 축하 행사도 없이 신문에 실렸다. 스노크메이든이 사라지는 무민에게 해터 박사의 해독제를 부으며, "아, 무민이 다시 나타날 때는 부디 똑같은 모습이길." 하고 바라는 내용을 담고 있다. 무민은 실제로 그렇게 나타났다.

토베와의 계약에서 AN은 만화를 지속하기 위해 누구든지 고용할 수 있는 전권을 위임받았다. 그래서 만화가 존 젠슨이 샘플 만화 몇 점을 토베 대신 그리기도 했다. 하지만 결국은 라르스가 누나의 스타일을 충분히 익혀, 그림을 물려받고 무민을 가족의 작품으로 지켜 냈다. 라르스는 1960년 1월 2일부터 1975년 4월 16일까지 토베의 작업보다 세 배나 많은 인쇄물을 단독 작업하여 서명을 남겼다.

토베는 연재만화 작업을 '치통'과 '양날의 검'에 비유했지만, 이 '끔찍할 정도로 뻔한 결혼'은 모음집 시리즈 출간까지 계속된다. 별나게도 이 시리즈는 1957년 영국에서 처음 한 권만 출간되다가, 2006년 캐나다 출판사 드로운 & 쿼털리가 전 시리즈를 출간하면서 그 어느 때보다 많은 언어로 번역되었다.

토베는 단편 소설 『만화가』(1978)을 쓰며 개인적인 후회와 화해했다. 이 책에서 날마다 연재만화를 그리는 가상의 인물 '블러비'는 '너무 지친 나머지' 직업을 버리고 사라진다. 블러비의 후임자가 그를 찾아냈을 때, 두 사람은 깊은 유대감을 느낀다. 이 모든 일에도 불구하고 다시 만화 의뢰를 받은 창작자는 "만화 몇 장만 그려 보자. 언젠가 네가 원한다면…." 하면서 이야기의 끝을 맺는다. 소설과 달리 토베는 결코 신문 매체로 돌아오지 않았다. 만약 토베가 작가주의적인 그래픽 노블의 기회를 알았다면 어떤 보석을 만들었을까, 궁금해하는 사람들도 있다.

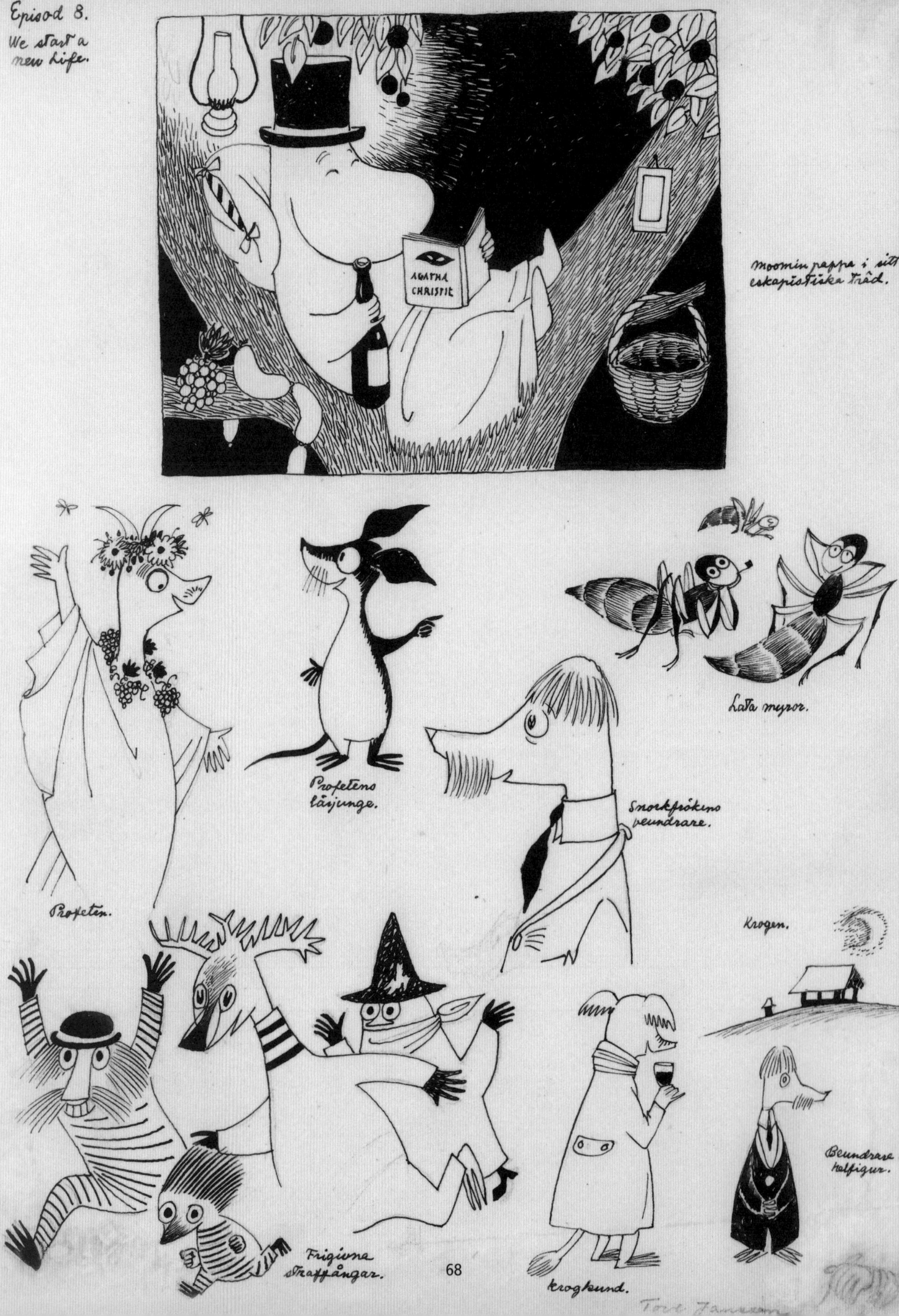
Episod 8.
We start a new Life.
AGATHA CHRISTIE
moomin pappa i sitt eskapistiska träd.
Profetens lärjunge.
Lata myror.
Snorkfrökens beundrare.
Profeten.
Krogen.
Beundrare i helfigur.
Frigivna straffångar.
krogkund.
Tove Jansson

위

여섯 번째 이야기를 위한 준비 디자인,
제목을 다시 붙인 「무민마마의 가사 도우미」,
1956

다른 기회들

이토록 바쁜 시기에도 토베는 다른 작업을 위해 시간을 냈다. 다섯 번째 무민 소설 『위험한 여름』과 여섯 번째 소설 『무민의 겨울』도 이에 포함된다. 또한 토베는 비비카 반들레르를 통해 얻은 기회도 놓치지 않았다. 1952년 7월 올림픽 기념 헬싱키를 방문하는 현직 인사를 위해 한데스길트 혹은 사적인 무역 길드에서 파티가 열렸고, 비비카가 이곳에 토베를 초대했다. 길드의 사교 공간을 개조한 세련된 나이트클럽은 '르 클럽 드 사우나'라고 불렸다.

초대 연주자 중에는 과델루프(역주: 캐러비안해의 프랑스령 군도)인 부모 아래서 태어난 보르도 출신 크레올 가수이자 피아니스트 문 드 리벨이 있었다. 비비카는 여성 잡지 <에바>를 위해 토베의 작업실에서 문 드 리벨을 인터뷰했다. 토베와 드 리벨은 친구가 되었다. 길드 회원 잡지에 비비카가 쓴 기사에, 파티에서 연주하는 드 리벨을 그린 토베의 그림이 함께 실렸다. 기사에는 '에든버러 공작이 늦게 도착해서, 새벽 세 시까지 파티를 계속하고 싶어했다'는 내용도 실렸다.

토베는 비비카를 무척 신뢰했다. 비비카의 조언에 따라 무민 소설을 퇴고했으며, 극장용 「위험한 여름」은 비비카에게 헌정했다. 토베가 또 다른 연극 「무대 뒤의 트롤」을 쓰고 의상도 디자인하면서, 1958년 두 사람

아래
클럽 사우나의 뮤지컬 파티를 그린 보도 그림, 한데스길트 사내 잡지, 1952, 포도주 잔을 든 옆모습의 여인이 가수 문 드 리벨이다.

오른쪽 위
스너프킨과 모자에 앉은 꼬마 미이와 발치에 모인 우디들, 『위험한 여름』

오른쪽 아래 왼편
스너프킨과 꼬마 미이의 캐릭터 스케치, 「무대 뒤의 트롤」, 1982

오른쪽 아래 오른편
다른 데 정신 팔린 다람쥐를 만난 무민, 『무민의 겨울』, 1957

Kap. 6.
Slutvignett
4

은 다시 함께 무대로 돌아갔다. 토베는 일과 사랑 양쪽 모두를 치열하게 해냈다.

비비카는 토베의 처음이자 가장 열정적인 사랑이었으나, 비비카에게는 다른 여자 '밈블들'도 있었다. 밈블은 토베가 어울리던 무리에서 남녀 양쪽의 옛 연인을 부르던 말이다. 이후 토베는 1952년 이사 온 금 세공사 브릿-소피 포크에게 반하고 말았다. 두 사람은 몇 년간 연인 관계로 부득이하게 조심스레 지냈다. 함께 일하면서 토베는 초상화 몇 점에 '비티(브릿-소피 포크의 애칭)'를 그려 넣었다. 그러다 1955년 크리스마스 파티에서 만난 툴리키 피에틸레와 점차 가까워진다.

미국에서 태어난 핀란드인 툴리키는 토베보다 두세 살 어린 그래픽 아티스트였다. 토베처럼 콘스트파크에서 공부했으며, 이미 성공한 그래픽 아티스트이자 판화가였다. 토베는 툴리키에게 '투티'라는 별명을 지어 주

아래

타자기 앞에 앉은 브릿-소피 포크의 초상, 1954

위

파스텔로 그린 툴리키 피에틸레의 초기 초상화, 툴루즈 로트렉의 영향이 엿보인다.

오른쪽

툴리키 '투티' 피에틸레에게 영감을 받은 '투티키', 『무민의 겨울』에서 손풍금을 연주하고 있다. 1957

위

『무민의 겨울』 프랑스판 표지에 쓰인 새로운 파노라마 채색 그림, 1972

고, 영감을 얻어 『무민의 겨울』(원제는 『무민 골짜기의 겨울』)에 '투티키'라는 인물을 등장시킨다. 두 사람은 이후 45년간 함께한다.

1950년대 토베는 대형 공공 벽화를 비롯해 벽화 작업을 하면서, 세 번째 개인전을 위한 새 작품들도 그렸다. 그러나 무민의 인기로 수익이 증가하면서 그림 작업은 늦추어졌다. 어린이들에게 포레닝스방큰(은행연합)의 저축 클럽에 가입하도록 권하는 홍보용 책자 형태의 무민 그림책은, 예상치 않게 많은 돈을 벌게 해준 파생상품이었다.

1954년 은행은 토베에게 <판타지아>라는 제목의 3미터 너비의 유토

피아 그림을 그려 달라고 의뢰했다. 2년 후 은행에서 새로운 일감도 받았다. 이번에는 흑백으로 언론 광고 열 점을 그렸다. 에피소드마다 토베 작품의 등장인물과 '은행 아저씨'라고 불리는 새로운 인물 헤물렌이 등장한다. 은행 소책자에 쓰인 이야기에서, 무민트롤은 스노크메이든에게 줄 선물을 마련하기 위해, 파란색과 금색으로 된 은행의 '지구본 저금통'에 500마르크를 입금하려고 꽃 배달로 돈을 번다. 심지어 학교에도 다니는데, 은행에서 무료로 제공하는 그림 카드의 도움을 받아 지리학에서 우수한 성적을 거둔다.

Muumi haaveilee matkoista

왼쪽
어린이 저축 계좌를 홍보하는 은행연합 광고를 위한 연필 스케치. 홍보용 책자에도 등장한다. 1956

아래

은행연합 광고에서 '은행 아저씨' 헤물렌을 소개하는 스케치

오른쪽

은행연합 소책자 표지, 1956

상업적 의뢰라는 제약에도 불구하고, 토베는 페이지 대부분에 펜과 잉크로 큰 장면을 채운 후 아래쪽에 약간의 장식을 둘러 훌륭하게 완성해 냈다. 소책자로 재출간될 때 토베는 매력적인 색채 표지를 추가했다. 이 표지를 보면 무민트롤은 세계적인 성공을 상상하며 세상 꼭대기에 있고, 꼬마 미이는 토베가 반복하는 모티프인 빨간 장미 꽃잎 안에 기대어 앉아 있다.

FÖRENINGSBANKEN
FÖRENINGSBANKEN
Tove

고전에 삽화를 그리다

토베는 무민을 뛰어넘는 다재다능함을 보여주고자 고전 문학 작품에 그림을 그려 달라는 의뢰 세 건을 받아들였다. 토베처럼 자신의 글에 그림까지 그리던 루이스 캐럴과 J.R.R. 톨킨의 작품이었다. 1958년 토베는 '자신이 아는 한 삽화가 들어간 적이 한 번도 없던' 캐럴의 부조리 시 『스나크 사냥』(1876년 초판 발행)에 그림을 그리기 시작했고, 마침내 스웨덴어 번역본을 받았다. 사실 헨리 홀리데이에서 초판이 나왔을 때도 삽화는 있었고, 머빈 피크 같은 작가가 뒤이어 삽화를 그리기도 했다. 전임자들의 존재는 몰랐지만, 토베는 젊은이들이 '감추고 위장한 것의 매혹'과 '섬뜩하고 으스스한 것의 기쁨'[7]을 어떻게 즐기는지 잘 알고 있었다. 그녀는 이 책에서 작고 연약한 선원들과 거대한 배경 속에 간신히 숨어 있는 괴물

아래
『스나크 사냥』 앞표지 그림, 1958

오른쪽

『호빗』 일러스트를 위한 스케치, 1962

아래

불가에 앉은 빌보 베긴스를 그린 연습 스케치. 『호빗』, 1962

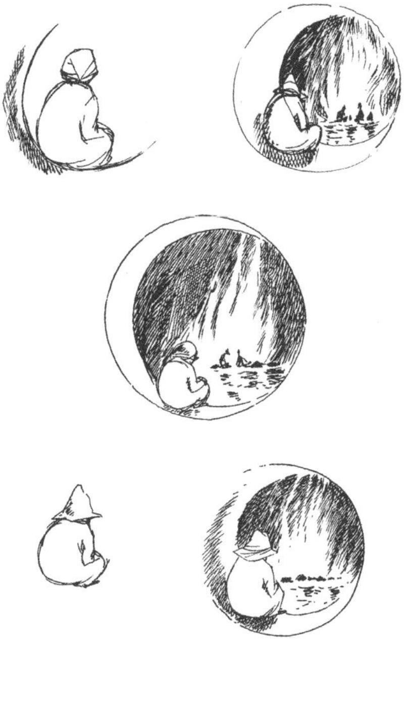

사이의 크기 차이를 과장되게 표현했다.

1962년 출간된 톨킨의 『호빗』에서, 토베는 '무민 스타일의 선과 세심하게 채워진 면에서 벗어나기 위해' 의식적인 노력을 기울였다. 토베는 '상당히 자유로워 보일 때까지' 반복하여 그렸다. 어떤 그림은 60번까지도 다시 그리면서, 더 큰 자연스러움(혹은 그런 모양)을 얻고자 노력했다. 문자에 얽매이기보다는, 때로는 격동적이고 압도적인 풍경에 대한 자신만의 인상을 만들고 톨킨의 등장인물을 재해석했다. 토베가 그린 골룸 타워는 무척이나 커서 톨킨을 놀라게 했다. 톨킨은 자신이 골룸의 크기를 명확히 밝히지 않았다는 사실을 깨닫고, 재쇄를 찍을 때는 골룸을 '작고 끈적거리는 생명체'로 수정했다.

어떤 일러스트레이터이든 『이상한 나라의 앨리스』의 삽화에 대해서라면 원화가 존 테니얼의 상징적인 이미지를 떠올린다. 이는 토베에게도 영향을 미쳤다. 1966년 스웨덴어 번역본에서 루이스 캐럴 작품의 등장인물을 새롭게 그려 달라는 요청을 받았을 때, 토베는 편집자에게 이렇게 물었다.

"으스스하게 그려도 괜찮나요? 내가 어릴 때 본 것처럼요."

상업적 작품 의뢰라는 제약은 여전했지만, 토베는 잉크로 그린 흑백 그림 50장과 다채로운 붓놀림으로 빛나는 그림 12점을 포함한 총 62장의 그림을 그려 이 책에 담긴 독특하고 과장된 현실을 전달했다. 앨리스를 사춘기 직전의 소녀로 성숙하게 바꾸고, 테니얼이 다루지 않은 본문 일부를 강조함으로써 토베는 새로운 이상한 나라로 독자들을 초대했다. 이 나라는 캐럴의 나라인 동시에 토베가 유년 시절 느낀 전율을 회상하며 만든 나라였다.

무민의 인기

1960년대 초반, 학생들과 문인들 사이에 토베의 '무민 정신' 철학이 폭넓게 논의되기 시작했다. 스웨덴의 시인이자 비평가인 라르스 백스트룀은 토베의 옹호자 중 한 사람이었다. 1959년 라르스가 낸 첫 에세이 모음집에는 토베를 찬양하는 글이 실려 있다.

왼쪽

다양한 재료로 그린 앨리스와 체셔 고양이, 『이상한 나라의 앨리스』, 1966

위쪽

라르스 백스트룀의 에세이 모음집 『행복의 표면 아래: 1950년대 문학』 표지 그림, 1959

이 책을 위해 토베는 백스트룀이 다룬 주제뿐만 아니라 그녀 자신이 일반적인 삶과 창의성 사이의 갈림길에 선 것처럼 표현한 표지를 그렸다. 표지에는 눈을 크게 뜬 무민이 지팡이를 짚고 있다. 무민은 앞서가는 사람이 셋뿐인 장엄한 봉우리로 향하는 위험한 길을 택할지, 혹은 대도시로 향하는 평평한 고속도로에서 군중과 합류할지 고민하고 있다. 군중을 따를 것인가, 아니면 자신의 방식을 선택하고 불확실성까지 끌어안을 것인가 사이에서 겪는 딜레마를 함축적으로 보여주는 것이다. 전경에는 토베의 상징적인 '바람 장미'가 꽃을 피우고 있다.

1960년 연초 4개월 동안 토베는 "지난 10년보다 더 많은 그림을 그렸어요."라며 기뻐했다. 그러나 토베 앞에는 수많은 기회와 선택지가 놓여 있었다. 무민의 세계적 인기뿐만 아니라, 성인을 위한 작가로서의 가능성도 펼쳐졌다. 이토록 재능이 많은 사람이 어떻게 한 가지 길만 선택하겠는가?

토베의 무민 소설 중 마지막 세 권은 어린이 못지않게 어른들을 향하고 있다. 이는 그녀의 야망과 독자의 변화를 예고한다. 아홉 편의 이야기를 모은 첫 단편 모음집 『보이지 않는 아이』(원제는 『무민 골짜기 이야기』)에서, 토베는 개별 등장인물의 문제 심리와 관계를 탐구하면서 자신의 우울감과 억제된 분노에 한 발짝 다가선다. '보이지 않는 아이'라는 은유는, 사랑의 결핍이 어떻게 아이의 성장과 정체성을 지워 가는지 그 효과를 완벽하게 보여준다. 토베는 이즈음 다시 한 번 고모가 되었고, 동생 라르스와 그의 아내인 가수 니타 레쉬 사이에 갓 태어난 조카 소피아에게 이 책을 헌정했다.

토베는 마지막에서 두 번째로 쓴 무민 소설 『무민파파와 바다』를, 특정하지 않은 '어떤 아버지들에게' 바쳤다. 이 작품은 분명 1958년 세상을 떠난 아버지 파판을 추모하고 있으며, 토베는 이번에도 억압된 감정의 출

아래

『보이지 않는 아이』 중 '보이지 않는 아이'의 삽화, 1963, 스웨덴어 초판은 1962년 발간

오른쪽

『무민파파와 바다』를 위한 표지 그림, 1966, 스웨덴어 초판은 1965년 발간

Dear Kenneth, The drawing was not in accordance with your measurements because I had wholly omitted the spine. Do you really want one? If you do, the Title a.s.o could maybe be put in white on the wave.
Text on cover in white. Happy new year! Tove.
Tove Jansson

왼쪽과 아래

땅에 귀를 댄 무민파파의 모습을 그린 연습 스케치 네 점과 출간된 『무민파파와 바다』의 최종 버전.

구로 이야기를 활용했다. 백스트룀에게 보낸 편지에서, 토베는 이 작업을 '나의 '그로크(역주: 무민 캐릭터 중 하나로, 주변 모든 것을 얼려 버리는 특징이 있다.)'가 응축된 것으로, 몇 년 전 돌아가신 나의 조각가 아버지를 찾는 일이야말로 그로크의 핵심 골자'라고 묘사했다. 영문판으로 출간된 『무민파파와 바다』는 외딴 섬 등대에 살기 위해 가족을 등진 후 자신의 구렁에서 벗어나는 이야기로, 남자다운 가장에 대한 이중적인 의미가 곁들여졌다.

인물의 정확한 몸짓을 표현하고자 토베는 그리고 또 그렸다. 소설 말미로 향하는 전환점에서 그린 스케치 네 점을 보면, 무민파파는 귀를 땅에 대어 '섬의 심장이 뛰는 소리를 듣고' 있다. 이를 통해 토베는 무민파파를 잘 드러내려고 애썼다. 최종 버전은 또 달라졌는데, 모자를 쓴 무민파파가 눈을 크게 뜨고 '모든 것이 살아 있다'며 감탄하는 모습을 보여준다. 조각가의 딸이 아버지를 다시 찾은 것이다.

1960년대는 무민 광풍이 더 거세게 불어 정점에 달한 시기이다. 다행히 동생 라르스가 '날마다 최소 다섯 통의 해외 전화'를 받아 가며 일간지 연재만화와 저작권 제안을 처리하는 등 토베를 도왔다. 1969년 공동 집필한 스웨덴 방송 실사 시리즈 방영을 앞둔 시점에서 이런 일들에 대처하려고 남매는 '무민 캐릭터스'라는 회사를 설립했다. 같은 해 일본에서 그린 무민 애니메이션 시리즈가 일본의 텔레비전 채널에서 큰 인기를 끌었다. 하지만 이는 사전 승인된 것도 아니고, 훗날에도 일본 이외 지역에서는 방영되지 않았다. 토베는 "사람들에게 텔레비전이 얼마나 중요한지 몰랐어요."라며 크게 놀랐다.

상업적 인기에도 불구하고, 토베는 작든 크든 그녀가 지지하는 대의를 위해 무민을 그렸다. 1960년 스웨덴 룬드의 학생 스무 명이 공장에서 번 하루 수입을 해외 원조에 기부하면서, '하루 노동 활동'(역주: 가난과 전쟁 등으로 학교에 다닐 수 없는 다른 나라 아이들을 위해 청소년들이 하루 일해 번 돈을 기부하는 날. 연대 행동의 날로도 불린다.)이 널리 퍼졌다. 1964년 토베는 학생들의 기금 마련 선집에 '하루 노동'을 기고한 16명의 작가와 화가 중 한 사람으로 초대받았다. 수혜국 중 하나를 기념하려고, 토베는 표지에 페루식 옷을 입은 무민트롤을 그렸다. 또한 어머니 함의 주특기인 50페니 핀란드 우표에도 제안서 다섯 장을 그렸지만, 작품이 '너무 작다'는 생각이 들어서 실제 작업하지는 않았다.

Dagsverket
AYACUCHO
Tove

왼쪽

'하루 노동' 모금 선집을 위한 페루 분위기의 표지, 1964. 손에 든 책에 쓰인 '아야쿠초'는 페루 남부 아야쿠초 지역의 수도를 뜻한다.

위와 오른쪽

핀란드 우표 세트의 일부로 기획한 개략적인 디자인과 더 정교화된 디자인. 실제 첫 무민 우표는 1992년 핀란드에서 나왔으며, 이전에 출간된 채색 삽화를 활용했다.

'인생은 평화롭지 않아.'

간절히 평화와 고요를 바라는 헤물렌에게 스너프킨은 '인생은 평화롭지 않아.'라는 답을 차분히 건넨다. 이는 얀손 가족에게도 사실로 드러났다. 1968년 토베의 올케인 니타 얀손이, 남편 라르스와 여섯 살배기 딸 소피아를 두고 38세의 나이로 세상을 떠났다. 가족의 막내를 위해, 토베 고모와 툴리키, 함 할머니가 말없이 부재를 채워 주려고 했다. 섬에서 마법 같은 시간을 보내며 머문 일도 이러한 노력의 일환이었다. 십 대 후반이 된 소피아가 설명을 요구할 때가 되어서야, 가족들은 니타가 '비극적인 배경에서 태어났고 이후 전쟁이 있었으며, 알콜 중독이 심해졌고 일찍 죽었다'는 사실을 알렸다. 소피아는 '그토록 불행한 사람이 툭 터놓고 이야기하는 것이 얼마나 어려운 일인지'[8]를 뒤늦게 깨달았다.

1970년 토베 얀손은 어머니를 여의고, 『늦가을 무민 골짜기』에서 깊은 상실감을 표현했다. 핀란드에서 11월은 '죽음의 달'로 일컬어졌다. 스너프킨, 토베의 화자인 '토프트'와 다른 등장인물이 각자의 방식으로 실종된 무민 가족이 무민 골짜기로 돌아오기를 기다리는 모습을 보여준다. 해결책은 보이지 않고 시간은 점점 흘러간다. 토베는 이것이 자신의 마지막 무민 소설임을 알아차렸다.

왼쪽
『늦가을 무민 골짜기』의 가슴 아픈 삽화, 1970

위
『늦가을 무민 골짜기』를 위한 표지 연습 작업물, 1970

어머니 함은 토베에게 '나이 든 할머니와 어린 소녀'라는 주제를 제안한 적이 있었다. 이 아이디어는 1972년 『여름의 책』이 되었다. 토베는 어머니 함과 어린 조카 소피아가 섬에서 보낸 휴가 동안 어떻게 서로를 지켰는지 재현하고 상상하면서 몹시 그리운 어머니와 다시 연결되는 방법을 찾았다. 책에서 가장 나이가 많은 할머니와 가장 어린 여섯 살 소녀(어머니를 잃었을 당시 소피아의 나이)는 삶과 죽음의 의미에 대해 서로 다른 관점을 논의한다. 어머니 함은 7월에 세상을 떠났지만, 책의 마지막 꼭지인 '8월'에서 토베는 '경계선의 달'을 살아가며 여름이 가을로 넘어가는 것을 지켜본다.

어린이만을 위한 책이 아님을 알리고자 '소설'이라는 부제를 붙였으나, 1976년 독일 출판사는 삽화 열일곱 점을 추가하자고 토베를 설득했다. 이 중 여덟 점은 전면을 가득 채우는 그림이었다. 토베는 두 등장인물을 항상 뒷모습이나 멀리 떨어진 모습으로 작게 그렸다. 책 뒤에 있거

Tove

나 또는 구름처럼 그려진 두 사람은 얼굴이 없어 보편적인 인물로 보인다. 『여름의 책』이 널리 번역되고 상도 받으면서, 토베는 세계적인 성인 대상 작가로 인정받았다.

첫 소설 『조각가의 딸』(1968)부터 자전적인 이야기를 다소 각색하여 담은 마지막 단편 모음집 『메시지들』(1998)에 이르기까지, 그녀의 소설은 30년간 성숙하며 피어난 작가의 현명하고 때로는 어두운 심리적 통찰력을 보여준다. 토베는 1989년 마지막 소설 『페어플레이』를 위해 섬으로 돌아왔다. 짜증, 질투, 예술적 투쟁을 이겨 내고 일상의 충만함을 누리는, 나이 든 두 여인의 집을 보여준다. 이때 조화를 이루는 공정함(Fairness)과 유쾌함(playfulness)의 태도가 '페어플레이'라는 제목으로 이어졌다.

왼쪽

『여름의 책』 독일어판(1976)에 실린 전면 삽화

오른쪽

『조각가의 딸』 표지를 위한 유화 스케치, 1968

마지막 협업

무민 소설 시리즈 집필은 끝났지만, 다양한 협업이 활발히 이루어지면서 작품은 끝날 줄을 몰랐다.

다재다능한 핀란드 작곡가 일카 쿠시스토가 1974년 『위험한 여름』을 기반으로 첫 어린이 오페라를 만들자고 제안했다. 토베가 한 시간 분량의 오페라 대본을 작성하면서, 떠내려온 극장에서 떠내려온 오페라 하우스로 무대가 바뀌었다.

쿠시스토는 토베의 가사에 영감을 받아, 무민파파의 오라토리오(역주: 규모가 큰 종교적인 극음악)부터 해티패트너의 일렉트로니카 음악에 이르기까지 다양한 유형의 음악을 결합했다.

또한 토베는 한스 클링의 도움을 받아 의상도 디자인했다. 클링은 무민 머리탈 안에 마이크를 설치하여 노래하는 동안에도 계속 탈을 쓸 수 있게 만들었다. 토베는 무민마마의 핸드백 모양의 안내서를 디자인했는데, 마치 안에 카드를 꽂은 것처럼 인쇄되었다.

이 공연은 헬싱키에 자리한 핀란드 국립 오페라 하우스에서 크리스마스 시즌을 맞아 34회나 공연되었고, 계속 무대에 오르고 있다.

한편 무민이 떠난 무민 골짜기는 여전히 토베와 독자들을 불러냈다. 1977년 토베의 마지막 어린이 그림책 『위험한 여행』에서, 토베는 모험을 좇는 젊은 수산나로 의인화된 자신의 길을 되찾았다.

앨리스처럼 따분하게 지내던 주인공은, 새로운 안경을 쓰면 세상을 다르게 보고 만들어 갈 수 있음을 깨닫고 탐험을 시작한다. 처음 길을 떠날 때는 혼자였지만 무민 파티에 가는 길에 곧 헤물렌과 그의 소심한 강아지 소리우, 팅거미와 밥, 스니프와 투티키를 만난다.

작업 방식을 새롭게 바꾸어 보고 싶던 토베는 평소 방식을 뒤집어 보기로 했다. 운율이 있는 서사를 먼저 쓰는 대신, 여행자들이 고군분투하는 환상적이고 무시무시한 지형을 두 화면에 걸쳐 격렬한 수채화로 먼저 그렸다. 몇몇 풍경은 토베가 가장 좋아하는 스웨덴 동화 일러스트레이터인 엘사 베스코브와 욘 바우어를 떠올리게 한다. 또한 그녀는 헤물렌의 모자와 긴 옷, 두루미 떼와 파티장 위로 날아가는 투티키 연 등에 뚜렷한 일본식 모티프도 빌려 왔다.

기획 단계를 거치면서 토베는 그토록 그리워하던 무민 가족과의 재회가 자신과 독자들에게 얼마나 중요한지 감사히 받아들였다. 처음에는 헤물렌이 중앙에 커다랗게 서 있었으나, 출판된 작품에서는 헤물렌을 풍선

오른쪽
과슈와 잉크로 그린 무민 오페라 홍보 포스터, 1974

뒷장
『위험한 여행』 속 전체 화면 그림을 위한 연습 작품, 과슈와 연필, 1976년경

98-99쪽
『위험한 여행』 속 두 번째 전체 화면 그림을 위한 연습 작품, 수채와 연필, 1976년경

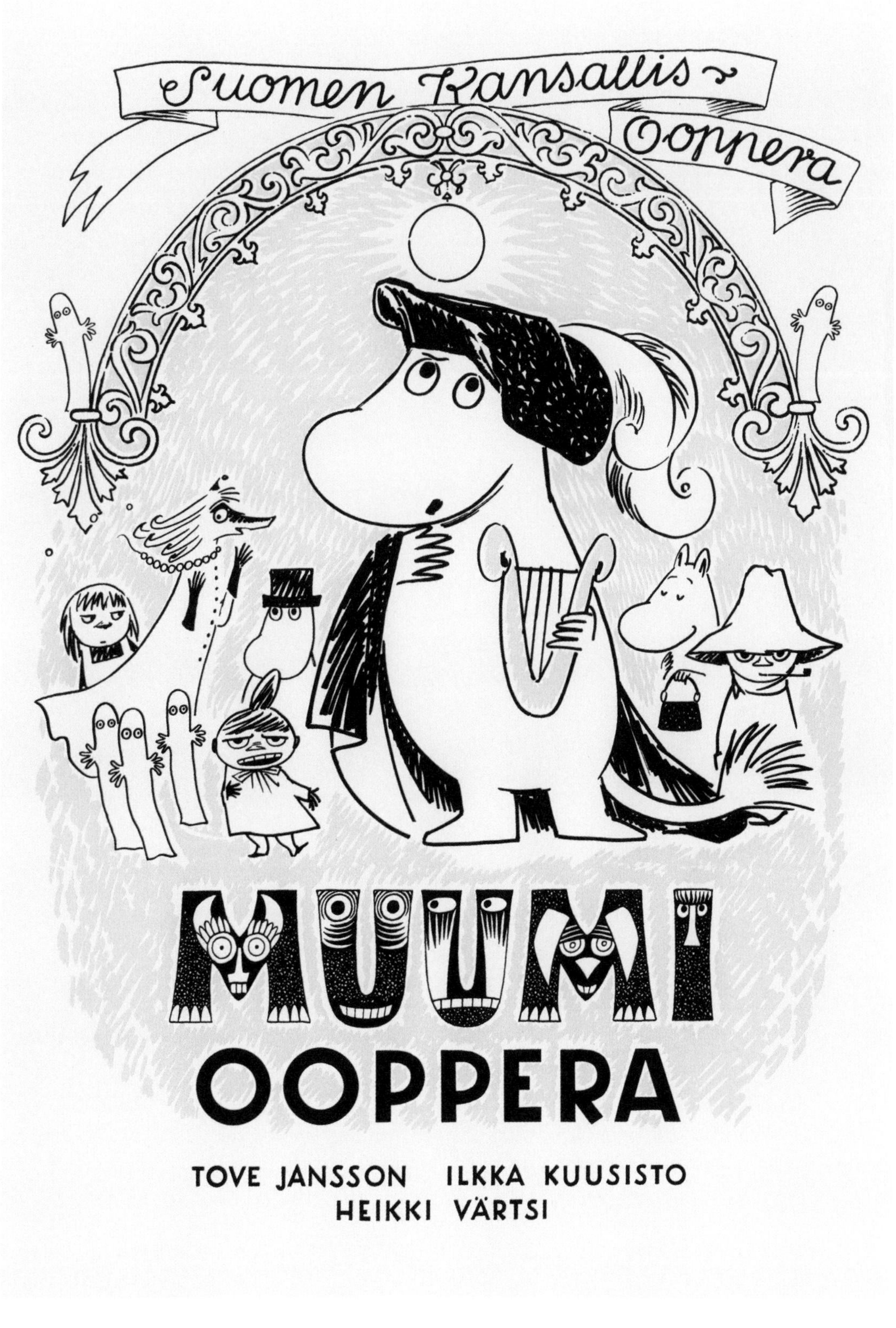
Suomen Kansallis-
Ooppera
MUUMI
OOPPERA
TOVE JANSSON ILKKA KUUSISTO
HEIKKI VÄRTSI

바구니 옆에 두고 수산나가 무리를 이끌도록 했다. 또한 무민마마는 앞치마를, 무민트롤은 바지를 벗어던진 자연스러운 모습을 보여주었다.

토베는 '영원히 행복하게 살았습니다.'라는 결말로 독자를 인도하지는 않았다. 수산나는 집으로 돌아가 고양이와 다시 만나고, 인생의 모험이 주는 기쁨과 불확실성에 대비하는 열린 결말로 마무리했다.

1958년 토베와 툴리키의 가까운 친구이자 의사인 펜티 에이스톨라가 미니어처 모델로 만든 무민 하우스를 보여주면서, 새로운 합작이 시작되었다. 이 작업에 열광한 툴리키는 무민의 등장인물을 나무 조각으로 만들기 시작했다.

1976년 토베, 툴리키, 에이스톨라는 더 정교한 모형을 함께 만들어 보기로 했다. 3년에 걸쳐 세 사람은 다양한 건축 양식을 활용해 설계도 없이 유기적으로 미니어처를 건축하였다. 토베의 원작에 나오는 둥근 형태와는 달리, 이들이 지은 무민 하우스는 2미터가 넘는 5층 높이였다. 그래도 중앙탑은 여전히 파란색과 흰색으로 칠했다. 내부는 가구까지 갖춘 방에 주요 등장인물들이 채우고 있다. 이 무민 하우스는 여러 미술관 전시회에 등장했다. 또한 토베가 쓴 으스스한 새 단편 소설과 여행 안내서를 위해, 동생 페르 올로브가 사진을 찍는 데도 활용되었다.

『무민 가족의 집에 온 악당』(영문판이 출간되지는 않았지만, 런던에서는 『반갑지 않은 손님』이란 제목으로 번역되어 소개되었다.)에서 무민트롤과 꼬마 미이는, 첫 번째 연재만화에서 스팅키로 밝혀진 신비한 침입자를 찾기 위해 이곳을 방문한다. 툴리키와 토베는 책 내용을 재현한 입체 작품 마흔한 점도 만들었다.

무민 하우스는 핀란드 탐페레에 영구히 집을 얻게 되었다. 툴리키와 남매인 건축가 레이마는, 자신이 설계한 새 도서관의 빈 지하실에 집을 짓자고 제안했다. 다른 작품 기부와 더불어, 이는 세계에서 유일한 무민 박물관이 되었다.(역주: 2017년 탐페레에 새롭게 무민 박물관을 개관하며 작품을 옮겨 왔다.)

토베가 쓴 책의 표지와 음악이 담긴 무민 노래 가사 모음집을 제외하면, 일러스트레이터로서 일하는 토베의 삶은 점점 줄어들었다. 말년에는 손이 떨려 거의 그림을 그리지 못했지만, 독자들에게 답장을 쓰는 일만큼은 멈추지 않았다.

툴리키는 1996년 토베의 마지막이자 가장 사적인 소설 『섬에서의 기록』에 그림을 그렸다. 2000년 막냇동생 라르스가 폐암으로 사망했고, 1년도 지나지 않아 토베 역시 세상을 떠났다.

오른쪽
페르 올로브가 찍은 무민 하우스가 실린 『무민 가족의 집에 온 악당』 표지, 1980

Skurken i Muminhuset
Tove Jansson
Per Olov Jansson

왼쪽
『무민 가족의 집에 온 악당』 본문 사진,
토베와 툴리키가 조각한 등장인물
인형들이 빼곡하다.

오른쪽
파생상품 중 하나인 컬러링 북, 이때 토베는
굵고 단순한 선을 사용했다.

아래
종이 인형 꼬마 미이와 수채로 그린
드레스 여섯 벌

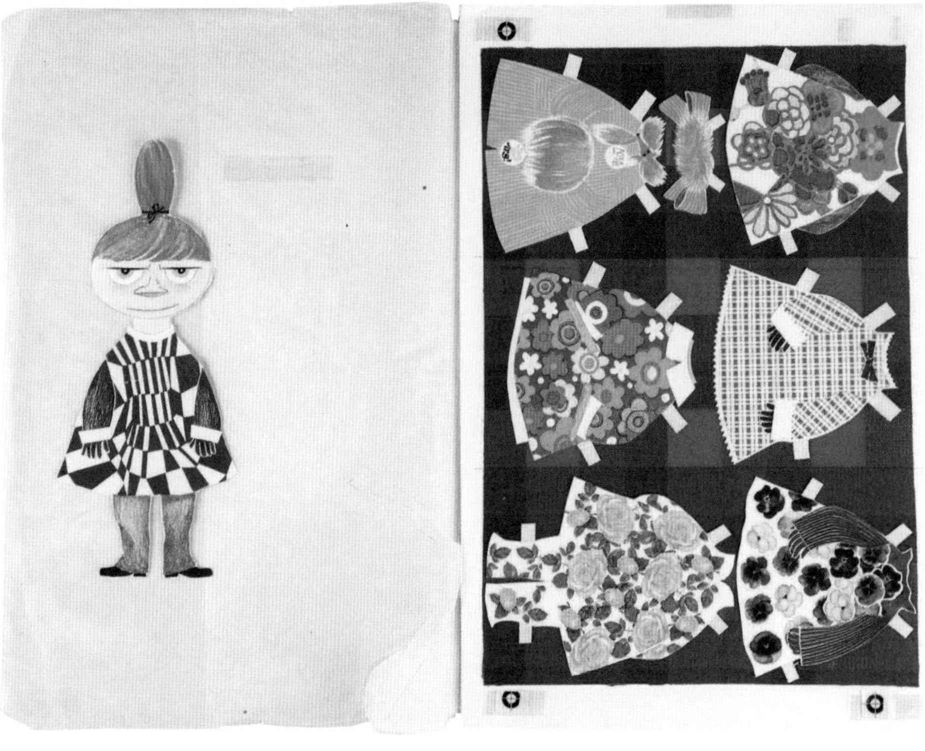

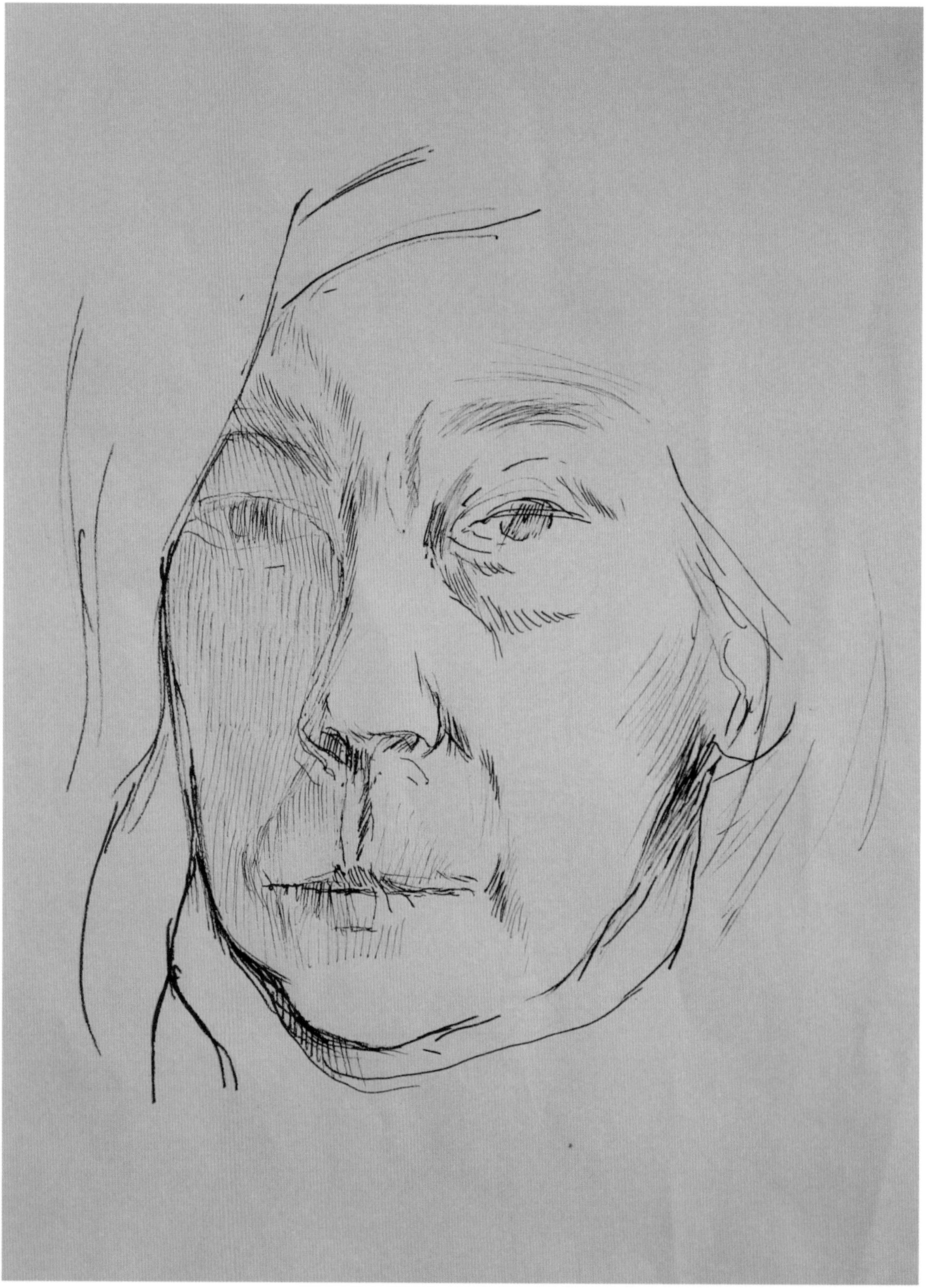

하지만 토베가 남긴 유산은 이 불확실한 세기에 더욱 강렬하게 울려 퍼진다. 자연, 창조성, 다양성과 자기실현을 찬양하는 토베의 복합적인 삶은, 여전히 세상을 풍요롭게 만들고 있다. 무민트롤이 한때 기꺼이 관찰했듯, 토베는 '사람들이 얼마나 다른가'를 예시로 보여준 작가였다.

왼쪽
잉크로 그린 자화상

아래
클로브하룬 섬의 가족 식탁. 서 있는 사람이 토베이고, 오른쪽으로 어머니 함이 앉아 있다. 맞은편 왼쪽부터 페르 올로브의 아내 사가, 딸 잉에가르드, 유모 안야 베를루스가 앉아 있다. 페르 올로브 얀손 사진, 1950년경

1. 'The Patter of Tiny Hoofs', The Times Literary Supplement, 21 November 1958, xiv.
2. Sagan om verkligheten: den ärliga Elsa Beskow (Stockholm: BLM, 1959; transl. Design House Sweden, 2014)
3. Tuula Karjalainen, Tove Jansson: Work and Love (London: Penguin Books, 2014), p. 73.
4. Pen+ Magazine (Tokyo: Media House Mook, June 2017).
5. 『그다음에 무슨 일이 있었을까요? 무민, 밈블 그리고 미이에 관한 이야기』는 프랑스 예술가 모리스 앙리 혹은 그의 작품을 출간한 출판사에 영감을 주었을 가능성이 높다. 모리스 앙리는 '종이에 뚫린 구멍'을 활용해 '작은 신화'를 창조한 작가로, 앙리와 출판사는 토베의 책 출간일과 비슷한 시기인 1952년 6월 30일에 계약을 체결했다. 1955년 나온 앙리의 작품 『Métamorphoses du Vide』는 총 64쪽으로, 그 절반쯤 구멍이 나 있다. 초현실주의적이고 심리적인 꿈의 여정을 그리고 있지만, 이 작품에 토베가 영향을 미친 것은 분명해 보인다. 『Métamorphoses du Vide』 중, Métamorphoses du Vide, métamorphoses du livre 참조 (Brussels: Éditions du Sandre, 2018).
6. AN 본부에 있을 때 토베는 연재만화 「트로그」의 작가 월리 포크스의 사무실에 방문했다. 포크스가 스위스에 가야 한다고 말했기 때문에, 토베는 그가 한 달간 신경 클리닉에 간 것으로 짐작했다. 하지만 사실 재즈 클라리넷 연주자이기도 한 포크스는, 시드니 베체트를 위해 스위스 밴드와 함께 제네바에서 연주 리허설 기회를 얻었다. 빈자리를 채우려고 포크스는 윤곽선만 그려 놓은 그림으로 동료 만화가를 통해 '비축분'을 만들어 두었다. 토베 작품의 등장인물 중에서 '지친 만화가'가 "뒤처지지 않도록 비축분을 반드시 확보해 두어야 한다. 그렇지 않으면 미치고 말 것이다."라고 경고하는 내용이 왜 나왔는지 설명해 주는 대목이다. 포크스는 1949년부터 일련의 작가들과 함께, <데일리 메일>에 주둥이가 큰 털북숭이 '플루크'를 그려 왔다. 판타지에서 요령 있게 사회적 논평으로 변화하는 작품은 무척 인기가 높아, 서턴은 무민이 이런 방식을 따라 하기를 바랐다. Adam Smith, 'Looking Back at Flook: An Interview with Wally Fawkes', The Comics Journal, 11 September 2013 <http://www.tcj.com/looking-back-at-flook-an-interview-with-wally-fawkes/>
7. Tove Jansson, 'Den lömska barnboksförfattaren' ('The Deceitful Children's Author'), Horisont 2, 1961
8. Interview with Sophia Jansson, Guardian, 3 July 2010 https://www.theguardian.com/lifeandstyle/2010/jul/03/moomins-tove-jansson-sophia

토베 얀손의 말 인용

Tuula Karjalainen, *Tove Jansson: Work and Love*, trans. David McDuff, Sort Of Books, 2014

Boel Westin, *Tove Jansson: Life, Art, Words*, trans. Silvester Mazzarella, Sort Of Books, 2014

Boel Westin and Helen Svensson (eds), *Tove Jansson: Letters from Tove*, trans. Sarah Death, Sort of Books, 2019

특별 도서목록

스웨덴어 원문을 표기하면서 국내 출간작의 제목을 함께 썼습니다. 한글 제목 뒤에 *표시된 작품은, 본문에 언급되어 번역 제목을 실었으나 국내에 출간되지 않은 작품 (2022년 4월 기준)입니다.

무민 도서

Småtrollen och den stora översvämningen (Söderström & Co., 1945) 『작은 무민 가족과 큰 홍수』

Kometjakten (Söderström & Co.,1946) 『혜성이 다가온다』

Trollkarlens hatt (Holger Schildts förlag, 1948) 『마법사가 잃어버린 모자』

Muminpappans bravader skrivna av honom själv (Holger Schildts förlag, 1950), Muminpappans Memoarer로 개정(1968) 『무민파파의 회고록』

Hur gick det sen? Boken om Mymlan, Mumintrollet och Lilla My (Holger Schildts förlag, 1952) 『그다음에 무슨 일이 있었을까요? 무민, 밈블 그리고 미이에 관한 이야기』

Farlig midsommar (Holger Schildts förlag, 1954) 『위험한 여름』

Trollvinter (Holger Schildts förlag, 1957) 『무민의 겨울』

Moomin newspaer strip collections, 후반 작품은 토베와 라르스가 공동으로 혹은 라르스 단독 작업함. 1957-1975. 스웨덴에서 1권(Holger Schildts förlag), 영국에서 1권(Allan Wingate), 캐나다에서 10권 완간 (Drawn&Quatertly) 『무민 코믹 스트립』

Vem ska trösta Knyttet? (Holger Schildts förlag, 1960) 『누가 토플을 달래 줄까요?』

Det osynliga barnet och andra berättelser (Holger Schildts förlag, 1962 『보이지 않는 아이: 아홉 가지 무민 골짜기 이야기』

Pappan och havet (Holger Schildts förlag, 1965) 『무민파파와 바다』

Sent i november (Holger Schildts förlag, 1970) 『늦가을의 무민 골짜기』

Den farliga resan (Holger Schildts förlag), 1977 『위험한 여행』

Skurken i Muminhuset 페르 올로브 사진 (Holger Schildts förlag, 1980) 『무민 가족의 집에 온 악당』

Visor från Mumindalen, 라르스 얀손 & 에르나 타우로 공동 작업 (Holger Schildts förlag, 1993)

그림을 그린 다른 책

Sara och Pelle och Neckens bläckfiskar '베라 하이'라는 친구 이름으로 출간, (Bildkonst, 1933) 『사라, 펠레, 넥켄의 문어들』*

성인 도서

Bildhuggarens dotter (Holger Schildts förlag, 1968) 『조각가의 딸』*
Lyssnerskan (Holger Schildts förlag, 1971)
Sommarboken (Holger Schildts förlag, 1972) 『여름의 책』
Solstaden (Holger Schildts förlag, 1974)
Dockskåpet och andra berättelser (Holger Schildts förlag, 1978)
Den ärliga bedragaren (Holger Schildts förlag, 1982) 『정직한 사기꾼』
Stenåkern (Holger Schildts förlag, 1984)
Resa med lätt bagage (Holger Schildts förlag, 1987)
Rent spel (Holger Schildts förlag, 1989) 『페어플레이』
Brev från Klara och andra berättelser (Holger Schildts förlag, 1991)
Anteckningar från en ö 툴리키 피에틸레 그림 (Holger Schildts förlag, 1996) 『섬에서의 기록』*
Meddelande. Noveller i urval 1971-1997 (Holger Schildts förlag, 1998)

다른 작가의 글에 삽화를 그린 책

Jag (『나』*), Ella Pipping, 시그네 함마르스텐 얀손과 공동 작업 (Söderström & Co., 1937)
Nalleresan (『테디의 여행』*), Solveig Schoultz, (Wahlström & Widstrand, 1944)
Bröderna Borgs bedrifter (『보그 형제의 위업』*) Carolus Sjöstedt (Taidekorttikeskus, 1947)
Snarkjakten (『스나크 사냥』*) Lewis Carroll (Bonniers, 1959)
Bilbo: En Hobbits Äventyr (『호빗』*) J.R.R. Tolkien (Rabén & Sjögren, 1962)
Alice i Underlandet (『이상한 나라의 앨리스』) Lewis Carroll (Bonniers, 1966)

토베 얀손에 대한 작품

Ardagh, Philip, and Frank Cottrell-Boyce, The World of Moominvalley as created by Tove Jansson, Macmillan Children's Books, 2017
Cottrell-Boyce, Frank, Paul Gravett, Tuula Karjalainen and Boel Westin, Tove Jansson – Desire to Create and Live, exh. cat., Förlaget, 2016
Karjalainen, Tuula, Tove Jansson: Work and Love, trans. David McDuff, Particular Books, 2014
McLoughlin, Kate, and Malin Lidström Brock (eds), Tove Jansson Rediscovered, Cambridge Scholars Publishing, 2007
Tölvanen, Juhani, Muumisisarukset Tove ja Lars Jansson: Muumipeikko-sarjakuvan tarina (Moomin Siblings Tove and Lars Jansson: The Story of the Moomin Comic), WSOY, 2000
Tomihara, Mayumi, Garm – The People's Watchdog: Tove Jansson and Finland-Swedish culture's definitive caricature magazine, Seidosha, 2009; English edition, 2014
Westin, Boel, Tove Jansson: Life, Art, Words, trans. Silvester Mazzarella, Sort Of Books, 2014
Westin, Boel, and Helen Svensson (eds), Tove Jansson: Letters from Tove, trans. Sarah Death, Sort Of Books, 2014
Moomin: The Art and The Story, exh. cat., MACG, 2019

토베 얀손의 생애

1914년 8월 9일, 러시아 제국 핀란드 대공국 시절 헬싱키에서 토베 마리카 얀손이 태어남.
1928년 틸만 출판사와 『사라, 펠레, 넥켄의 문어들』 출간 계약, 책은 1933년이 되어서야 출간됨.
1929-53년 15살 초반부터 잡지 폐간까지 풍자적 잡지 <가름>의 다양한 작품 의뢰를 소화함.
1930-33년 헬싱키의 스웨덴 학교 '브로베르그스카 삼스콜렌'을 떠나, 스웨덴 스톡홀름의 기술 학교에서 회화와 공예를 배움.
1932년 출판사, 잡지, 신문에서 다양한 의뢰를 받고 작품을 그림.
1933-36년 핀란드 헬싱키 미술대학에 다님.
1938년 프랑스 파리 에콜 다드리엥 홀리에 다님. 에콜 데 보자르에도 2주간 다님.
1939년 『작은 무민 가족과 큰 홍수』를 쓰기 시작함. 이때부터 의뢰받은 작품이나 개인 작업에 무민이 자주 등장함.
1943년 헬싱키 타이데살롱키 갤러리에서 첫 회화 개인전을 엶.
1944년 헬싱키 울란린난카투의 꼭대기 층 작업실로 이사가, 2001년 죽을 때까지 이곳을 유지함.
1945년 Småtrollen och den stora översvämningen(『작은 무민 가족과 큰 홍수』)를 출간함.
1945년 헬싱키 스트룀베르그 전기기계 공장 구내식당에 벽화를 완성함.
1946년 Kometjakten(『혜성이 다가온다』) 출간. 스웨덴(1947)과 영국(1951)에서도 연이어 출간함.
1946년 비비카 반들레르를 만남.
1947년 아토스 비르타넨의 의뢰를 받아서 사회주의 일간지 <뉘 티드>에 첫 만화 연재함.
1947년 토베와 남동생 라르스가 핀란드만의 작은 섬을 빌려 빈드로센을 지음. 이후 토베는 따뜻한 계절에는 이곳에서 살고 작업함.
1947년 헬싱키 시청에 프레스코화 두 점을 그림.
1948년 Trollkarlens Hatt(『마법사가 잃어버린 모자』) 출간, 2년 후 영국에서 『핀란드 가족 무민트롤』이라는 제목으로 출간함.
1949년 Mumintrollet och kometen(「무민트롤과 혜성」)이라는 첫 연극 대본을 쓰고 디자인함. 헬싱키 스벤스카 극장에서 초연.
1950년 Muminpappans bravader skrivna

av honom själv(『무민파파의 회고록』) 출간함.

1952년 토베의 첫 어린이 그림책 Hur gick det sen? Boken om Mymlan, Mumintrollet och Lilla My(『그 다음에 무슨 일이 있었을까요?: 무민, 밈블 그리고 미이에 관한 이야기』) 출간함.

1952-59년 AN과 무민 만화 연재 7년 계약을 맺음. 본래는 <데일리 메일> 연재 예정이었음. 1960-1975년에는 라르스가 연재를 맡음.

1952년 핀란드-스웨덴인 문학 작품을 위한 스벤스카 닥스블라뎃 상 수상.

1954년 9월 20일 <런던 이브닝 뉴스>에 무민 만화 첫 연재.

1955년 그래픽 아티스트이자 교사인 툴리키 피에틸레를 만나, 인생의 동반자로 지냄.

1956년 스톨혹름과 헬싱키의 주요 백화점 두 곳에서 새로운 무민 상품을 홍보함.

1957년 처음으로 무민 연재만화 모음집 한 권이 영국에서 출간됨.

1958년 토베와 라르스가 무민 캐릭터 관리를 위해 회사를 세움. 1977년 유한회사로 전환함.

1958년 비비카 반들레르가 감독을 맡은 두 번째 연극 Troll i kulisserna(「무대 뒤의 트롤」)을 쓰고 무대를 디자인함. 헬싱키 리틀 극장에서 초연.

1958년 6월 22일 아버지 빅토르 '파판' 얀손이 세상을 떠남.

1959년 루이스 캐럴의 『스나크 사냥』에 삽화를 그림.

1962년 J.R.R. 톨킨의 『호빗』에 삽화를 그림.

1962년 Det osynliga barnet och andra berättelser(『보이지 않는 아이』)를 출간함.

1964년 툴리키와 함께 핀란드 군도의 멀고 작은 섬 클로브하룬에 오두막을 지음. 이후 1965-1990년대까지 이곳에서 여름을 보냄.

1966년 루이스 캐럴의 『이상한 나라의 앨리스』에 삽화를 그림.

1966년 어린이 문학상 한스 크리스티안 안데르센 상을 수상.

1968년 첫 성인 대상 소설 Bildhuggarens dotter(『조각가의 딸』)을 출간함.

1968년 스웨덴 공영방송 SVT에서 토베에 관한 다큐멘터리 Mumin och have(<무민과 바다>)를 제작함.

1969년 토베와 라르스가 공동 집필한 실사 시리즈 Mumintrollet(<무민트롤>)이 스웨덴 텔레비전에서 방송됨.

1969년 토베의 승인을 받지 않은 무민 애니메이션 시리즈가 일본에서 방영됨.

1970년 어머니 시그네 '함' 함마르스텐이 세상을 떠남.

1970년 마지막 무민 소설 Sent i November(『늦가을 무민 골짜기』)를 출간함.

1971-72년 툴리키와 8개월간 세계여행을 다님.

1972년 Sommarboken(『여름의 책』)을 출간함.

1972년 스웨덴 아카데미에서 수여하는 마르바카 상 수상.

1973년 <무민트롤>이 스웨덴의 텔레비전에서 크리스마스 연례 행사가 됨.

1974년 핀란드 작곡가 일카 쿠시스토와 핀란드 국립 오페라와 함께 무민 오페라를 만듦. 토베는 이를 위해 오페라 대본을 쓰고 의상, 포스터, 프로그램을 디자인함. 12월 초연.

1976년 화가와 작가를 위한 프로 핀란디아 메달 수상.

1976-79년 툴리키, 펜티 에이스톨라와 함께 크고 정교한 무민 하우스 모델을 만듦.

1977년 Den farliga resan(『위험한 여행』)을 출간함.

1978년 토베에게 명예박사 학위를 수여한 오보 아카데미에 원고와 다른 작품들을 기증함.

1979-80년 브라티슬라바와 헬싱키에서 무민 하우스를 전시함.

1980년 페르 올로브가 무민 하우스를 모델로 찍은 사진이 실린 『무민 가족의 집에 온 악당』을 출간함.

1980년 스톡홀름 국립 미술관에서 무민 전시회가 열린 후, 스웨덴에서 순회전이 열림.

1980년 헬싱키 문화상 수상.

1986년 핀란드 탐페레 미술관에 작품을 기증하고, 단독 전시회를 개최함.

1993년 라르스 얀손, 에르나 타우로와 합작한 노래책 『무민 골짜기의 노래』를 출간함.

1994년 스웨덴 아카데미 최고상 수상.

1996년 툴리키 피에틸레가 그림을 그리고, 토베가 쓴 Anteckningar från en ö(『섬에서의 기록』)을 출간함.

2001년 6월 27일 오랜 투병 끝에 핀란드 헬싱키에서 세상을 떠남. 히에타니에미 묘지에 묻힘. 얀손 가족 기념관에는 아버지 빅토르 얀손이 만든 동상이 있다.

감사의 말

우선, 절대적인 도움과 지혜를 빌려준 나의 훌륭한 핀란드 친구이자 무민 전문가인 유하니 톨바넨에게 이 책을 바친다. '무민 캐릭터스'의 소피아 얀손과 한나 알스트룀에게도 깊은 감사를 전한다.

토베 얀손의 전기작가 보엘 베스틴과 투울라 칼야라이넨, 부코브스키스 옥션 하우스의 안나 외이달 보덴과 피터 보덴, 영국 도서관의 티모시 클라크, 마리아 디드리센, 아드리안 에드워드, 스튜어트 길리스, 하겔스탐 옥션 하우스, 켄트 대학교 내 영국 만화 아카이브의 빌 헨니넨과 니콜라스 힐레이 박사, 윌리엄 모리스 갤러리의 로이신 잉글스바이, 소트오브 북스의 낫 잔스와 마크 엘링햄, 한델스길트 이 헬싱포스 r.f.,의 클라리사 쾨홀러, 에릭 크루스코프, 마이리 문캐스터, 카나 무라스, 푸미오 오바타, 앤서니 오닐, 위브 반 옵스탈, 제인 드 시바, 앨리슨 윌리엄스에게도 감사를 표한다.

로저 소프, 줄리아 맥켄지, 케이트 에드워즈, 모하라 길, 알렉스 핀치를 비롯한 테임스&허드슨 출판사 관계자, 셜록처럼 그림 조사를 도와준 슬루스 프레데리카 록홈에게도 깊은 감사를 전한다.

만화가이자 토베 얀손 전문가인 일런 호록스를 빼놓을 수 없다. 그는 레

인홀드 레이트버거와 볼프강 J. 퍼스의 만화 세미나 도서 「Anotomy of a Mass Medium(1972)」에서 '무민' 신문 연재만화 단독 패널을 발견하고, 잊힐 뻔한 보석을 추적해 영문판으로 인쇄하는 공을 세웠다.

사진 출처

(2) 부코브스키스, ©무민 캐릭터스
(4. 8쪽 위, 10-11, 42쪽 왼쪽, 42쪽 오른쪽, 43쪽 위, 43쪽 아래, 44, 45쪽 위, 45쪽 아래, 46, 47, 48, 49, 50, 51, 55, 58, 59, 60, 61, 62, 65쪽 위, 65쪽 아래, 71쪽 위, 71쪽 아래 왼쪽, 71쪽 아래 오른쪽, 73쪽 아래, 76-77, 78, 84, 85, 86, 90, 91, 93, 95, 96-97, 98-99, 103쪽 위, 103쪽 아래) ©무민 캐릭터스
(7, 8쪽 아래, 12, 14, 17, 18, 19, 23, 25, 30, 31, 32, 33, 35쪽 위 왼쪽, 35쪽 위 오른쪽, 35쪽 아래, 37, 40-41, 72, 104) ©토베 얀손 에스테이트
(9, 13, 105) ©페르 올로브 얀손
(20, 21) ©토베 얀손, 1933, 무민 캐릭터스
(27) ©<가름> ©토베 얀손 에스테이트
(28) 부코브스키스 사진, ©토베 얀손 에스테이트
(29) 옌스 외스트만 사진, 쿵리가 비블리오테켓. ©토베 얀손 에스테이트
(39) ©토베 얀손, 1949, 무민 캐릭터스
(52, 53) ©토베 얀손, 1952, 무민 캐릭터스
(63) 제인 드 실바 도움, ©dmg 미디어 라이센싱, 런던 ©무민 캐릭터스
(64, 66, 67, 68) ©dmg 미디어 라이센싱, 런던, ©무민 캐릭터스
(70) 한데스길트 ©토베 얀손 에스테이트
(73쪽 위) 한겔스탐&Co. ©토베 얀손 에스테이트
(74-75, 112) ©토베 얀손, 1957, 무민 캐릭터스
(79) 옌스 안데르손 사진 ©무민 캐릭터스
(80) 옌스 안데르손 사진 ©토베 얀손, 1959
(81쪽 위, 아래) ©토베 얀손, 1962
(82) ©토베 얀손, 1962
(83) 유하니 톨바넨 도움. ©토베 얀손 에스테이트
(88) 옌스 안데르손과 피터 보덴의 사진 ©토베 얀손 에스테이트
(89) 하겔스탐&Co. ©무민 캐릭터스
(92) ©토베 얀손, 1972, 무민 캐릭터스
(101, 102) 옌스 안데르손 ©토베 얀손, 1980, 무민 캐릭터스, ©페르 올로브 얀손

도와주신 분들

폴 그라벳은 전 세계 만화를 전문으로 다루는 작가이다. 『그래픽 노블: 인생을 바꾸는 이야기』, 『만화 예술』, 『망가: 아시아 만화 완벽 가이드』, 『포시 시몬드(일러스트레이터 시리즈)』를 출간했다. 또한 폴은 토베 얀손, 찰스 슐츠, 포시 시몬드의 회고전을 포함해 만화 관련 전시 큐레이터로 활동 중이다. www.paulgravett.com

퀜틴 블레이크는 영국에서 가장 뛰어난 일러스트레이터 중 한 명이다. 20년 동안 왕립예술대학에서 학생들을 가르쳤다. 1978년부터 1986년까지 일러스트학과의 학과장이었다. 2013년에는 일러스트 분야에 공헌한 공로로 기사 작위를 받았다. 2014년에는 프랑스 정부로부터 레지옹 도뇌르 훈장을 받았다.

클라우디아 제프는 다년간 책표지, 잡지 그리고 어린이책에 일러스트를 의뢰해 온 아트 디렉터이다. 퀜틴 블레이크와 함께 '하우스 오브 일러스트레이션' 갤러리를 설립했으며 현재 부회장을 맡고 있다. 2011년부터 퀜틴 블레이크를 위해 크리에이티브 컨설턴트로 일하고 있다.

옮긴이

황유진은 연세대학교에서 영어영문학을 전공하고, 한겨레 어린이 청소년 번역가 그룹에서 공부한 후 프리랜서 번역가로 활동하고 있다. 우리말로 옮긴 책으로 『언니와 동생』, 『내 머릿속에는 음악이 살아요!』, 『딕 브루너』 등이 있다. 그림책과 글쓰기로 어른들의 마음 돌봄을 도우며, 쓴 책으로 『어른의 그림책』과 『너는 나의 그림책』이 있다.

찾아보기

일러스트가 나오는 페이지는 *기울여* 썼습니다.

Tove